東亜同文書院大学と愛知大学

―第２集―

東亜同文書院（虹橋路《ホンジャオロ》校舎）正門と校舎　1915～1936年
上海事変で焼失した。

東亜同文書院大学と愛知大学

―第2集―

写真提供：滬友会(東亜同文書院同窓会―第二六期・三〇期・三二期・三四期・四〇期・四一期卒業アルバムより)・朝日新聞社・中国通信社

ブックレット『東亜同文書院大学と愛知大学』刊行にあたって

東亜同文書院は、一九〇一年東亜同文会（会長：近衛篤麿貴族院議長）によって中国の上海に設立された。日中友好提携の人材養成を目的とし、戦前海外に設けられた日本の高等教育機関としては、最も古い歴史をもつ。アジアの国際都市上海に置かれた東亜同文書院（後に大学）は、学問の自由を尊ぶ学風のもと、中国・アジア重視の国際人を養成した。大陸にあこがれ中国の人々との善隣友好を願う学徒たちが、全国から集い学び、日中関係に貢献する多くの人材が巣立っていった。

しかし、日中戦争・太平洋戦争という日中関係の苦難の時代に遭遇し、敗戦の結果、一九四五年の九月中国側の接収によって、東亜同文書院大学は半世紀にわたる歴史の幕を閉じた。

翌一九四六年五月、上海から帰国した本間喜一学長他十三名の東亜同文書院大学教職員が東京都下に参集し、東亜同文書院の存続不可能な状況のもとに書院生はじめ海外諸校からの引き揚げ学生たちを収容する大学を、新たに国内に設立する事を決定した。

かくして、同年十一月十五日「世界文化と平和に寄与すべき新日本の建設に適する国際的教養と視野を持つ人材の育成」を建学の趣旨として、愛知大学は、中部地方唯一の旧制法文系大学として豊橋市に誕生をみた。

ブックレット『東亜同文書院大学と愛知大学』は、東亜同文書院大学記念センター発足を期に「幻の名門校」と言われて久しく、そして、愛知大学の生みの親ともいうべき東亜同文書院大学を知り、愛知大学との関わりの認識を深めて頂くことを期待して刊行した。

一九九四年十二月　愛知大学東亜同文書院大学記念センター

『馬馬虎虎《マーマーフーフー》』の一語

――同文書院終焉前後の想い出――

元中部日本放送㈱（CBC）論説委員長
松山昭治（まつやま　しょうじ）
（愛知大学旧制法経学部経済科三期卒）

略歴

東亜同文書院大学四五期
愛知大学旧制法経学部経済科三期
中部日本放送記者、一九八七年論説委員長で定年。
定年後、一年間中国医科大学で日本語教師。帰国後東邦学園顧問に就任。現在も南京外国語学校、上海交通大学などで日本事情の集中講義を行っている。
著書「パンダの遺言状」「これが現代中国人」「見えない中国が見える本」
（以上何れも竹内書店新社）

『清水の舞台は…』の中日大辞典

七年前、三十八年間のジャーナリスト生活を終えた私は中国東北の瀋陽に赴き、一年間にわたって中国医科大学で日本語を教えていた。中国医大の前身は満州医科大学で多くの日本人医学生を養成した学校である。その関係から中国の医科系大学としては唯一、日本語研究室が設けられており、中国人の日本語教師十一人を擁していた。

某日、若手教師のT君が私の宿舎を訪れた。『私はきょう大金を出して一冊の本を買いました。愛知大学の中日大辞典です。日本で出版されている多くの辞典の中で、愛知大学の本が一番信頼できます。中国人教師はみんな手に入れたいと願っていますが、高くて手が出ません。これは中国で出ている海賊版ですが、本物と変わりないでしょうか。私は清水の舞台からとびおりる気持ちで買いました』と言いながら、彼はその本を私に示した。

海賊版で紙質が悪く、厚い用紙を使っているため、やけに分厚く、印刷も悪いが、私は自分が持っている一九八六年出版の増訂版と照合した結果、内容は全く本物と同じであることを確認した。増訂版が出てから一年も経たないのに海賊版が出ているのである。中日大辞典の評価が高い証明である。

定価は二十五元、当時T君の月給が七十五元であったから、彼にとってこの買い物は、彼が日本語で表現したとおり『清水の舞台…』の心境であったのも首肯ける。私が『本物だ』と答えると、彼は何回も何回も海賊版をなでまわしていた。

帰国の日が近づいた。職業高校で日本語を学んだ外事処のH嬢とJ嬢には瀋陽滞在中、部屋の掃除、買い物などお世話になったので、お礼のしるしとして、私の使っていた電卓や漢和辞典などの書籍を贈ることにしたが、二人とも『中日大辞典を譲ってくれ』と言う。私は困った。日本人帰国孤児の息子のS君も『中日大辞典が欲しい』と言う。彼は残留孤児のお母さん、その夫の中国人と共に日本に帰ったが、結局ご両親が日本の生活になじめず、また中国にもどってきたのである。S君は日本の高校も卒業し、指圧の専門学校を終えて横浜で開業した結果、かなり繁昌していたので中国にもどる意志は全くなかった。しかしご両親の切なる願いを拒むことができず、再び一家で瀋陽にもどってきたのである。そして医師の資格をとるため、中国医大に入学したわけであるが、H嬢とJ嬢にはS君の事情を説明し、引く手あまたの私の中日大辞典はS君に残された次第である。

あれから七年、私は帰国後もしばしば中国の学校に行っては集中講義をしているが、お土産の中には必ず中日大辞典が入っている。東亜同文書院大学と愛知大学の両方に学

愛知大学の『中日大辞典』（大修館書店刊）
出版部数は、初版刊行以来12万３千冊におよぶ。

んだ私としては、書院のまいた種を愛大が中日大辞典という形で開花させ、それが中国で高い評価を受けていることが、たまらなく嬉しいのである。中日大辞典を出版した愛大に対し、中国の大学は一種の親近感を抱いており、私が帰国する時、中国医大から私に対し『先生の後任には愛大から先生を送ってほしい』という要望が出されたが、それが叶わないと知った時、彼らは随分落胆したものである。

愛大の卒業生もこれから毎年、多くの定年者を出すことになる。愛大の卒業生が定年を迎えた時、海外で貢献する途はいくらでもある。私は愛大がそのような人物を育成することを望んでやまない。

潜水艦から逃れながら

いま私は当たり前のように日中間を往復している。しかし敗戦で同文書院が廃校になり、一九四五年十二月の寒い日、アメリカの輸送船に乗せられて上海から日本に送還される時は、果たして再び中国の土を踏めるかどうか絶望的であった。学生たちは黄色い長江に消え行く大陸の影をいつまでも見つめながら、涙を流したものである。

書院四十五期の私たちは上海渡航組の最後の学生である。一九四四年春、長崎を出航した吉林丸は三十数時間で上海に着くはずであった。それが四日半を要した。アメリ

カの潜水艦を避けるため、船は朝鮮半島の西海岸を北上した後、山東半島沖に出て、中国大陸東海岸に沿いながら南下し上海に至るという、迂回コースをとったのであるが、私たちは青春のエネルギーにはちきれていた。沈没に備えて救命胴衣の着用訓練、避難訓練なども行われたが、恐怖感はなく、それよりもまだ見ぬ大陸へのあこがれに満ち満ちていた。船の中では先輩が院歌と寮歌を教えてくれたが、わけても『大旅行送別の歌・嵐吹け吹け』は私たちの血を湧かせた。

この歌は、書院生が大旅行に出発する時、下級生が送別の歌として歌うのであるが、われわれは数ある寮歌の中でも特にこの歌を好み、酒が入ると決まって高唱したものである。そして今では同窓の葬式の出棺のさいにも、この歌を歌うが、それがたまらなく寂しい。しかしそれはともかく、最後の一節『殺気満ちたる馬賊の歌はどこで飲んだか酒くさい』は書院をめざした若者のロマンをかき立てるのに充分であった。書院生たちはテンポがゆったりとした大陸的な寮歌に共通のアイデンティティを感じた、といってもいいであろう。

船が出発して四日目の早朝、海の色が突然黄色に変った。船員が『もう長江に入った』と教えてくれたが、両岸には何も見えず、行き交うジャンクの姿が眼に映るだけで、まわりは汪洋たる水ばかりである。そのうちに太陽が昇り始めた。河の中から太陽が昇る——はじめて知る大陸の大きさであり、十六歳の私はそれだけで圧倒された。

長江の水

年齢を超越しての交わり『忘年交《ワンニェンチャオ》』

書院の特色の一つは全国都道府県からの学生がもれなく集まってくることである。入学早々同県人先輩による歓迎会があり、ここで酒の洗礼を受けることになる。当時上海はインフレがはげしかった。歓迎会ではビールなど高級な酒は出ず、アルコール度六十度の白酒が用意され、つまみはピーナツを中心に中国駄菓子が並べられていたが、それでも食料難の日本から渡ってきた新入生を感激させるには充分であった。書院生が『瞼盆《リェンペン》』と称していた金属製の中国式ドンブリに酒がなみなみと注がれ、回し飲みをするのであるが、インフレで懐寒い上級生たちは、おそらく冬物のふとんや時計を学校前の『当舗《タンプー》』（質屋）に入れて歓迎資金を捻出したに違いあるまい。この『当舗』は書院生御用達の店であり、中国語の実践訓練の場としても貴重な存在であった。

卒業生の在学生に対する面倒見のよさも、他校にはない伝統であった。私たち長野県人の在学生は日曜日になると上海在住の県人卒業生のお宅に伺って奥さんの手料理で酒を頂くのが慣わしであった。上海には七、八人の長野県卒業生がいたが、訪問日については口ーテーションのようなものを作って、先輩全員の顔を立てたものである。当時ビー

同文書院の学生がよく排骨麵を食べ酒を飲んだ校内横の「杏花村」付近（筆者撮影）

ルは高級品であり、学生は日本の焼酎にあたる白酒か老酒しか飲めなかったが、それだけに先輩宅で出されるビールはまさに甘露の味であった。

先輩宅では一家総出で学生をもてなされ、時には日本映画を見るため、いっしょにお供したものである。こうしたことはどの県人会も似たようなものであったろう。だから日曜日の夜は酔払った学生たちの『寮回り』（ストーム）で、どの寮も賑やかであった。私たちのように学生は大旅行を果たせなかったが、大旅行を経験した先輩たちは、中国各地に散っていた卒業生を訪ねてはお世話になり、更に奥地へと脚をのばして行った。書院の大旅行が『他に類をみないフィールドワーク』と評価される実績を残したかげには、先輩はとことん後輩の面倒を見るという伝統の支えがあったからでもあろう。先輩と後輩は学内だけではなく、学外でも話し合いの機会を持つことができたため、そこには世代の断絶感がなかった。中国には『忘年交《ワンニェンチャオ》』という言葉がある。年齢の差を超えての親しい交わり、という意味であるが、書院生の友情はまさに『忘年交』であった。

校庭（正面は文治堂）で上級生が県人会の幟を立て新入生を迎える（同文書院42期）

よき師に恵まれて

愛知大学学長就任時（1955年）の小岩井淨先生

私は両親が明治末期に朝鮮に移住したので旧制釜山中学から書院に入学したが、本籍が長野県であったので長野県人会に入った。本間学長と共に愛大の創立に心血を注がれ、後に愛大学長になられた小岩井先生も長野県人であった。旧制松本中学時代にストライキの主謀者となって退学、その後独学で一高、東大に進まれたというのが先輩の説明であった。書院の学生はよく小岩井先生のお宅に出入りしていたようだが、書院入学と同時に酒道にはげんでいた私は、古武士の風格を持つ小岩井先生を敬遠していた。その私も二度だけ小岩井先生を訪ねたことがある。

日本の敗色が濃厚になるにつれて、二十歳から十九歳に引き下げられた徴兵年齢は一九四五年春になって十八歳になった。このため書院生の大部分が同年六月末、南京の部隊に入隊することになる。私は同級で長野県人の河野郁文（愛大卒）と共に小岩井さんのお宅にお別れの挨拶にお伺いした。『杏花村で湯麺《タンメン》でも食べながら飲みましょう』という小岩井先生のお言葉に胸がつまった。杏花村というのは書院の横の薄ぎたないソバ屋であり、学生たちはそこをたまり場にして老酒を飲んでいた。

先生は社交という面では不器用な方であった。その先生が杏花村で一緒に飲みましょうと言われたのは、出陣する私たちへの最大のいたわりの表現であることが充分に理解できた。それに当時、書院の先生の生活は決して楽ではなかった。日本からの送金は止まり、インフレは日々にきびしい。学生たちはそれでも『当舗《タンプー》』（質屋）に行けば金を工面することができる。しかし教授の身分としてはそうもいくまい。河野と私は先生のお言葉だけを有難く頂いてお別れした。

その年の八月、南京で終戦を迎えた書院生の多くは上海にもどって『集中営』で共同生活をし、新聞配達などのアルバイトをしながら日本への送還を待つことになるが、私の両親は日本を離れて五十年、その子供の私には日本に故

郷がないのも同然である。私は中国に残る決意をして長野県出身の某先輩に相談した。先輩はしきりに私の翻意を促したが、最後には知り合いの中国人を紹介してくれた。私は中国籍になるという条件で上海の新聞社で働くことが決まった。ジャーナリストになるのは中学生時代からの夢であったので、これからはペンの力で日中友好に尽くすのだ、と気負いながらも、家族には一生逢うこともあるまいと思った。

小岩井先生にお別れのつもりで報告に行った。小岩井先生は即座に言われた。『ダメです。大学には学生全員を無事日本に連れて帰る義務があります。君のご両親も日本にお帰りになっているかもしれません。あるいは将来帰られることでしょう。君を中国に残したまま帰っては君のご両親に対して申し訳が立ちません』

先生はしばらく眼を閉じられた後、こうおっしゃった。『松本に私名義の小さな畑があります。私と一緒に百姓をやりながら、戦いに敗れた日本をじっくりと見つめましょう。これからの日本をどうすべきか、一緒に土を耕しながら考えましょう。貴方は朝鮮生まれで本当の日本を知っていない。日本の真の姿を知ってこそ外国と仲よくできるのです。将来必ず中国に来る機会があります。それまでじっと待ちなさい』

こうして一九四五年十二月三十一日、書院の第一陣引き揚げ学生は鹿児島に上陸するが、眼に映ったのは一面の焼野原と化した日本であった。『国破れて…』とはこのことかと胸をつまらせながら『貴方にとって必要なのは負けた日本の姿をじっくり見ることです』と言われた小岩井先生の言葉を改めて噛みしめた。私は長野で一足先に朝鮮から引き揚げていた家族と再会するが、本間学長はじめ書院の先生方の学生に対する愛情は並みのものではない。それが愛知大学誕生の所以でもあるが、その経緯については多くの方が触れているので、ここでは省略したい。

『馬馬虎虎《マーマーフーフー》』

私たち四十五期生の在学期間は兵役につく関係から浪人組はわずか四ヶ月、中学卒業組がおよそ一年、中学四年修了組が一年三ヶ月と短いものであったが、異境の地で同じ寮生活をした仲間であることから、友情の絆には強いものがある。それにいずれは必ず兵隊になって死と直面するという運命のもとでの生活だけに、短い青春を精いっぱい燃焼したいという点では共通していた。

いまも鮮明に残っている記憶がある。入学してから三ヶ月目、七月の上海はもう酷夏であった。上海の生活にも慣れ、夕食の後はプラタナスの並木の美しいフランス租界を散歩するのが楽しみであった。はじめて見る洋式の公園に

フランス文化の香りを感じ、黄浦江沿いの外灘の高層建築群の下を通る度に七つの海を制したイギリスの富を知るのであった。学校近くの徐家滙の天主堂でステンド・グラスなるものをはじめて知り、それに描かれたキリストの生涯図のスケールの大きさには目を見張るだけであった。日本の憲兵の眼が届かない中国人の『攤子《タンズ》』(露天)ではニューズ・ウィークなどアメリカの雑誌がこっそりと並べられており、その表紙の鮮明なカラー印刷に内心驚きを感じた。と同時に一体どんな方法で日本の占領地区に運ばれてくるのか、中国は広いとの思いを新たにすると共に、中国人の底にひそむ反日感情を読みとったものである。

　そんな七月のある夜、サイパン島玉砕の報が入り、われわれのクラスは校庭で集会を開いた。星空の下での集会であった。ある者が『今こそ我らはペンを捨てて軍に志願すべし』と叫べば、ある者は『死ぬのはいつでもできる。われわれはこの一瞬を大事にし、最後まで学問を修めることこそ報国の道である』と応じ議論は止まなかった。断わっておくが『軍に志願すべし』と叫んだ者が軍国主義に心酔していたというわけではない。彼はむしろ戦争に疑問を抱いていた少年であったが、祖国が滅亡の危機に立たされている時、イデオロギーを超越してそう叫んだのであろう。私は今も彼を尊敬している。

　その中で私は自分に発言のチャンスが回って来ないよう、ひたすら願っていた。できればウヤムヤのうちに散会してほしかった。そんな自分を卑怯だナ、と思っていた。そのうち一人が『馬馬虎虎《マーマーフーフー》』と叫んだ。『馬馬虎虎』は中日大辞典では〝いいかげんである。でたらめである〟と訳されているが、正確な日本語には翻訳できない含蓄がある。

除家滙　教会尖塔
この教会は今も残っている。書院(現在の交通大学)の近くにあり、時々教会の鐘の音を聞いたものである。

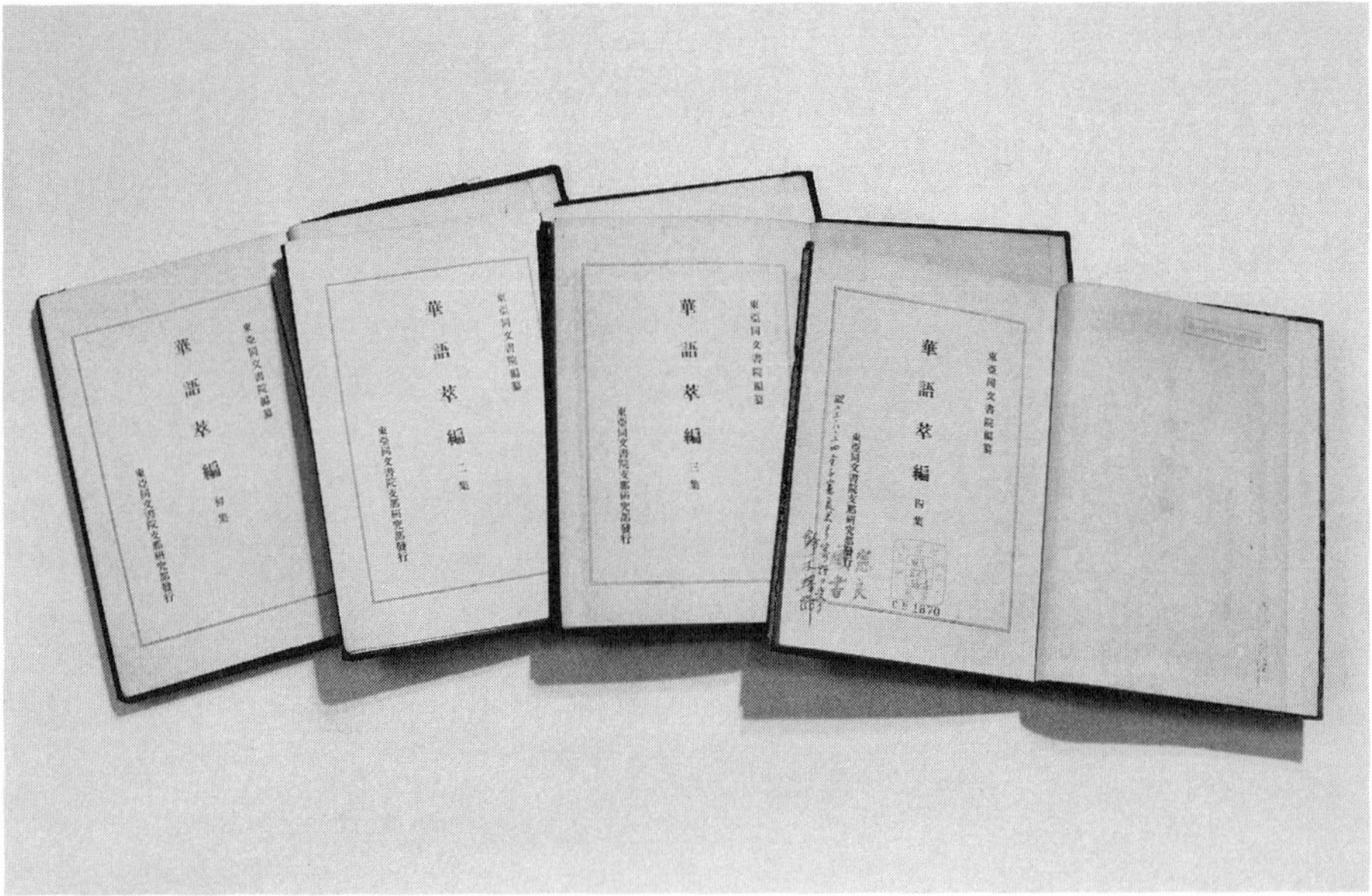

東亜同文書院編纂の中国語テキスト『華語萃編初集～第４集』
昭和20年代の愛知大学の中国語テキストでもあった。

その時の『馬馬虎虎』は〝お互いにあまりムキになるな。相手を傷つけず適当に終わりにしようじゃないか〟という意味であったのだろう。『馬馬虎虎』はその文字の構成にもとぼけた味わいがあるが、その言葉の響きにも何とも言えぬやわらかさがある。かくしてその夜の星空の下での集会は『馬馬虎虎』の一語で散会となった。

『馬馬虎虎』は書院生の大好きな言葉であった。中国人の喧嘩は派手である。暴力はめったに使わないが、お互いに自分の主張を周りに伝えるため大声をはりあげて、ヤジ馬の支持を得ようとする。ヤジ馬はますます増え、遂には交通渋滞が発生する。すると誰かが『馬馬虎虎』と仲に割って入り喧嘩は収まる。その夜の『馬馬虎虎』もまことにタイミングがよく、入学三ヶ月の学生の中国語にしては最高のできばえであった。とにかく書院には先生にも学生にも日本の学生には見られない大らかさがあった。日本国内が戦争でギスギスしていた時代にも『馬馬虎虎』の伝統が残っており、それは一種名状し難い校風であった。

こうして『馬馬虎虎』を愛した書院生ではあったが、勉強までが『馬馬虎虎』であったわけではない。四十五期生がゆっくり勉強できたのは八月末までであった。九月からは日本本土の学生と同じように勤労動員されることになるが、この間の勉学が後の人生に大きな影響を与えることになる。とくに中国語については徹底的に鍛えられ、最初は

校庭での中国語発音練習（上級生が下級生を指導した）

明けても暮れても正確な発音訓練ばかりであった。授業が終われば運動部員には部活が待っており、部活が終了して夕食をとってやれやれと思ったら、上級生が校庭で中国語の復習を指導する。これだけ鍛えられると寝言にまで中国語が出てくる。

発音の訓練が終わって会話の授業に入ると、これは面白かった。教科書は書院が独自に編纂したものを使うが、極めて早い段階で酒の飲み方をめぐる会話があり、〝さあさあお飲みなさい。いくら酔っても今夜は関係なしです〟〝いやいや、もう充分です。もう小さな蟹になりました。(顔が赤く染まりました。)〟という教科書の文字に、その頃十七歳の誕生日を迎えたばかりの私は、ますます酒の味を覚えていくのであった。私は毎日中国の新聞を航空便で取り寄せているが、書院の流儀を今でも守り、必ず大きな声を出しながら読むことにしている。最近中国語を習う人が増えたのは喜ばしいが、一つ気になるのは発音がきたないことである。私が九年前短期留学した北京大学の先生も『最近の日本人の中国語の発音はきたない』と指摘されていた。

アメリカ兵捕虜との交流

九月から勤労動員が始まった。予科が江南造船所、専門部が陸軍自動車野戦廠に動員されたが、自動車野戦廠には

南方で捕虜になったアメリカ兵が百人以上働かされていた。野戦廠は陸軍トラックの修理と部品の製造を主な仕事としていたが、私と門田浩、二年生の小林一夫さんの三人は体格を見込まれて鍛冶班にまわされた。火で焼いた鉄板や鉄棒を一日中ハンマーでたたいて車の部品を作るのである。鍛冶班には伍長と二人の兵の他、三人のアメリカ人捕虜がいたが、軍側は学生に対してアメリカ兵と話しをすることを禁止していた。しかし幸い伍長が気のやさしい軍人であったため、私達は暇を盗んでは下手な英語で捕虜と会話を交わしていた。

三人の捕虜は一人がデトロイトの自動車工場の職工、二人がシカゴに近い農村出身であった。彼らは門田のことを『ベイビー』と呼び、私を『ボーイ』と呼んだ。門田も私も柔道部員で体はがっしりしていたが、大きな彼らからみると子供であった。彼らは捕虜であるのに実に戦局にくわしかった。『間もなくフィリピンがアメリカの手にもどるぞ』とこっそり教えてくれた。彼らがなぜ情報にくわしいのか、不思議であったが、各自が自動車廠から盗み出した部品を持ち寄っては短波の受信ラジオを組み立て海外放送を傍受していたのだ。当時の一般の日本人は中波ラジオしか持っておらず、短波で海外放送を傍受するのは特殊な人だけであった。捕虜が自分たちの手だけで短波ラジオを組み立てる力を持っているのに驚きを感じたが、私たちはそのことを軍に漏らさず秘密にしておいた。

そして一九四四年のクリスマスに近いある日、アメリカ兵が日本兵の目を盗んで私たちに『クリスマス・プレゼントだ』と言ってアメリカ製タバコを渡してくれた。ラッキー・ストライクかキャメルだったかは忘れたが、聞けばクリスマスを前にスイスの国際赤十字を通じてアメリカ本国からチョコレート、衣類などと共に捕虜に送られてきたものという。捕虜になるなら自殺せよ、と教えていた日本軍との違いを具体的な形で知ったのであるが、その時捕虜たちが言った『Next Xmas in America —— 戦争は間もなく終って次のクリスマスはアメリカで迎えるのだ。君たちも兵隊に行かずにすむだろう』という言葉は今も忘れることができない。ところがその直後の十二月十九日、江南造船所では六人の書院生がB29の空爆で命を失った。もっと早く戦争が終わっていれば六人は命をなくすこともなかった。東亜同文書院大学史には『ようやく収容を終えた遺体の一部は、その場で棺に収められ、斎場に運ばれて荼毘に付されたが、油をかけられた遺体が、青い燐光を発してメラメラと燃え上がっていき、やり場のない憤りと悲しさが胸をつき上げてきた』と記されている。

そしてそれから五十日後の一九四五年二月、突然勤労動員が解除され、学校で正規の授業を再開するとの通知を受けた。学校当局が軍に強く要求した結果であることを知っ

たが、あの当時軍に動員の解除を要求し、それを実現させたのは大変な勇気を要したのであろう。これ以上、犠牲者を出したくないという、学校側の決意が読んでとれる。それに三月には中学五年卒業組が兵役につくことが決っていた。せめてもの間、最後の学生生活を書院の校舎で送らせたい、というのが本間学長らの願いであったに違いない。

その後、書院生と上海在住の日本人男子はアメリカ軍の大陸上陸に備えて軍事訓練を受けたが、その時書院の学生が現役の兵隊になぐられた。これを聞いた本間学長と小岩井教授は，その夜のうちに軍当局に赴かれ、兵隊が学生をなぐるのは学園の自治権を侵すものである、と強く抗議された。両先生の勇気ある態度は、われわれにとっては教室での授業以上に大きな教育となった。

ところで陸軍自動車廠を去る日､アメリカ兵の捕虜は『戦争は間もなく終わる。平和になったらアメリカに遊びに来いよ』と言いながら、彼ら三人の住所を書いたメモ用紙を私に渡してくれた。私はそのメモ用紙を大切にしていたが、その年の六月、出征の前夜に焼き捨てた。『これからアメリカ兵と戦おうとする者がメモ用紙に恋々としているのは、何と女々しいことであるか』と自分に言い聞かせながら焼いたのを昨日のことのように覚えている。それとももう一つ、もし軍隊に入り、私物検査でメモが見つかれば上官にひどい仕打ちを食うであろう。という怖さがあった。その怖さの方が大きかったというのが正確かもしれない。私はメモを焼いたことを今でも悔いている。

交通大学・寺廟《スーミャオ》大学

正直言って私は原稿執筆の依頼があった時、一度はお断わりした。書院生であるといっても本物の学生であった期間は短く、大半が軍に動員され最後は本物の兵隊で敗戦を迎えた。時代の流れとはいえ日中友好を旨とした書院精神とは反対の方に進んでいく。中国について勉強する時間もほとんどなかった。だからこの文章には中国人との交流が欠落している。五十年前何を考えていたかと言われても、今となってはそれを正確に文章にするのはむずかしい。だから今も記憶に残っている出来事を中心にその事実についてだけ客観的に記述した。その結果、私の個人史になってしまい、総合的に書院閉幕前後の模様について触れることができなかった。また私にはそれを書く力量もない。『馬馬虎虎』な一文になったのが恥ずかしい。

ただこれだけは言える。十六歳で書院に入学し、十八歳で書院生を終わったが、この短い学生生活が私の一生を決めた、という事実である。敗戦時中国大陸には軍民含めて数百万の日本人がいた。それだけ多数の日本人がソビエトが進攻した東北地区を除いて、ほとんどが無事で帰国でき

上海交通大学の正門（同大学「大学案内」より）

た。国民党支配地区の日本人も共産党支配地区の日本人もそうである。長年にわたって侵略行為を働いた相手国の軍人と国民に危害を加えることなく、無事送還を果たしたのは有史以来中国が初めてである。私たちはこのことを忘れてはいけない。

私は昨年三月、同文書院が戦時中に臨時校舎にしていた上海交通大学で日本事情の集中講義を行った。私が歓迎会の挨拶の冒頭で『今日皆さんの前で講義ができるのも、中国人が私たちを無事日本へ送り帰して下さったおかげです』と述べたところ、交通大学の関係者は『同文書院出身者の中には老中国（古くからの中国通）老上海（上海をよく知っている人）が大勢います』と述べ、更に『交通大学は寺廟《スーミャオ》とも呼ばれます。ご存知ですか』と質問された。

私には初耳である。交通大学の正門はお寺の門に似ている。そのことから寺廟大学という呼び名が生まれたわけであるが『松山先生が習った時代も、そして今も同じ門です。これからも同じです』という説明に、私に対する中国人の温かい気持ちを感じ、五十年間抱いていたしこりが消えていった。

私たちの年代には中国人に接する時、どうしても一種のわだかまりがある。侵略戦争の贖罪感が理由であるが、その私たちの時代は終わる。若い諸君には侵略戦争の事実だけは決して忘れないで欲しい。しかし若い人には若い人の方法がある。交通大学での講義から五ヶ月後、私は東邦高校のブラスバンド部員百名と共に中国演奏旅行を行った。曲目は生徒が自主的に決めたが、サザンオールスターズの曲が中心であった。これを見て私は不安でいっぱいであった。私たちの年代が名曲と称する日本の有名な曲は一つも入っていない。しかし、どの会場も超満員であった。中国のテレビも新聞も素晴らしい演奏とほめてくれた。

出発前、百人にアンケート調査をしたところ九十九パーセントが『中国で演奏するなんてつまらない』『不潔な国だ』『貧しい国だ』と答えていた。帰国後は一〇〇パーセントが『中国人に親しみを感じ、好きになった』『経済の発展ぶりにびっくりした』と答えていた。そして今度は万里の長城で演奏をするのだと今から決めている者もいる。私は嬉しかった。

せっかく外国に行ったからには、その国を是非好きになって帰ってきてほしい。それは諸君の一生の財産になるはずである――私が愛大の学生諸君に望むのはこれだけである。

一九三〇年代初期の東亜同文書院（虹橋路校舎時代）のひとこま

中国語の授業風景

図書館閲覧室

珈琲館でくつろぐ同文書院生

華語（中国語）学科教員スタッフ　前列中央：鈴木擇郎教授

不幸な時代の青春の記録

――東亜同文書院生と反戦運動――

中日新聞・東京新聞論説委員
伊藤喜久蔵（いとう　きくぞう）
（東亜同文書院大学四〇期）

略歴

一九一九年京都に生まれる。住友鉱業から、中日新聞・東京新聞香港、北京支局長を経て現職。一九七五年から四年間香港総領事館特別研究員。六六年文化大革命の報道でボーン賞（国際報道賞）受賞。著書は『文革の三年』、『天安門事件』、『中国人の心』、『香港の挑戦』、『中国のパワーエリート像』ほか。

一、第一次闘争―共青団書院支部の結成

上海にあった東亜同文書院では、一時左翼学生たちの激しい反戦運動が起きました。その時期は、一九二〇年代末から一九三〇年代初めにかけて、つまり昭和ひと桁代の中ごろから後半にかけての数年間でした。それは、三一年(昭和六年)九月の満州事変、翌三二年(昭和七年)一月の第一次上海事変をはさんで、日中両国が全面衝突に向かってまっしぐらに進んでいた疾風怒涛の時代でした。

書院で左翼学生たちの動きがとくに激しかった時期は二回ありました。最初は三〇年(昭和五年)の後半、二回目は三二年から三三年(昭和八年)初めにかけてです。とくに二回目のときには中国共産党(以下中共)の下部機構である中国共産主義青年団(以下共青団)の団員とシンパが三〇余名にも上っていました。そのほかに、中国共産党員が八名もいました。これは大変なことで、武力衝突している相手国の共産党支部組織が自国の高等教育機関の中に存在していたのです。こんなことは世界にもあまり例がないでしょう。当時、同文書院の学生総数は四百人足らずでしたから、程度の差こそあれ、学生の実に一割余が左翼反戦運動に参加していたことになります。

運動の中心になったのは文芸部員たちでした。書院の文芸部員の間でも、当時の青年たちの心をとらえた社会主義思想への関心が強かったのですが、それが激動する日中関係の影響を受けてさらに強まりました。そして、二〇年代後半になって山口慎一(二五期生―二五年入学者以下同じ、のち宮崎県延岡市図書館長)や山名正孝(二六期生、のち神戸商科大教授)らが社会科学研究会を作り、マルクス主義や中国革命の研究を始めたことで、書院生の中に社会主義思想が深まっていったようです。

満鉄派遣生だった山口は中国の文学団体、創造社(郭沫若らが創設)にも関係した詩人で、「文芸部中興の祖」といわれています。山口が一年生のときに作った満鉄社歌『東より』はいまも元満鉄社員の間で歌い継がれています。物静かで、大人の風格がありました。

先輩が残した社会主義の本

私(伊藤)が三九年(昭和一四年)春に書院に入ったとき、各寮の一部の部屋に先輩が残した社会主義関係の著名な本や雑誌が本箱にぎっしり並べられていまして、その中にはマルクスの『資本論』、ブハーリンの『史的唯物論』、レーニン、スターリン、カウツキーらの著書のほか、河上肇の『貧乏物語』『経済学大綱』や彼が編集した雑誌『社会問題研究』なども含まれていました。三〇年代初めに先

輩たちが激しい反戦運動を展開した時代の寮は、三七年に日中戦争が突発したとき放火で校舎とともに消失しましたので、私が入ったのは一時借用した交通大学の寮でした。それでも私たちが入るまでの一年間にあれだけ多数の社会主義関係の本が先輩たちの手で集められていたのです。日本から持ち込んだものもあったでしょうが、多くは上海で手に入れ、持ち帰れないので残していったのでしょう。これらの本を見たとき、私は先輩たちの社会主義への関心の強さを知りました。

私は手あたり次第にこれらの本をむさぼり読んで、社会主義というものをおぼろげながら知りました。日本国内では当時は社会主義関係の出版物は発行禁止で、図書館でも貸出禁止でしたが、書院の図書館は貸してくれました。こういう点は書院はのんびりしていました。

書院では軍事教練の実施に学生が反対したことがありましたし、私が在学中にも時局が緊迫したことを理由に学生に頭の丸がりを軍事教官が要求したとき、これに反対する学生長文の大字報（壁新聞）が食堂の入口に張り出されました。教官は下川という陸軍大佐でしたが、反対文は「位、人臣を極めた大佐殿のいわれることとは思えない」と皮肉たっぷりで、みんな面白がって読んでいました。また一年生のときの学年末に、一部教授の人事に反対して全学スト実行の直前までゆきました。とにかく、学生の自治は最後までしっかり守られていました。

東亜同文書院大学（海格路臨時校舎）の図書館

人種のるつぼ―国際都市上海

上海という都市もまことに国際的で自由な雰囲気を持つ街でした。中国人のほか、日本人、英米人、フランス人、白系ロシア人、ナチス・ドイツに追われて逃げ出してきたユダヤ人、あごヒゲをはやした、背の高いインドのシーク族の警官、英軍のグルカ兵、フランス軍のベトナム兵など、まさに人種のるつぼでした。

四一年（昭和一六年）六月に独ソ戦が始まると、白系ロシア人が経営するバーの壁には大きなロシア地図が貼られ、独ソ両軍の対峙する戦線の変化がピンで示されていました。ロシア人たちは戦線の推移に一喜一憂していました。あれほど赤いソビエト・ロシアを嫌って国を逃げ出した白系ロシア人たちも祖国愛を失っていなかったのです。

上海には白系ロシア人たちの喫茶店や食堂も多く、私は散歩に出ると学校近くのロシア人の喫茶店で、ポーランドから逃げてきた美しいユダヤ娘のサービスを楽しみました。目抜きの南京路の喫茶店には、「可口可楽」その下にCocacola（コカコーラ）と書いた大きな広告看板が屋上に掲げられていましたが、どんな飲みものか、私にはわかりませんでした。

左翼関係の本も、あちこちの洋書店、中国語書店に並べられていましたし、内山完造が経営する内山書店でも日本

書院生がよくかよった内山書店

内山完造氏と東亜同文書院生（1930年代）

語の社会主義関係の本を買うことができました。小遣いに困った書院生が寮に放置してあった高畠素之訳の『資本論』全巻を内山書店に持ち込んだという話を聞きました。日本に留学した中国知識人が買うのだそうです。近くに住んでいた魯迅もそうした一人だったようです。

洋書店には一般の外国書も豊富で、イタリアの社会学者、V・F・D・パレートの大著『社会学』の英訳本三冊や当時評判になっていたJ・R・ヒックスの新著『価値と資本』の海賊版も手に入りました。日本では当時はとてもお目にかかれない本でしたので、私の経済学ゼミの指導教授で、わが国の近代経済学の先駆者だった手塚寿郎先生も「誰が読むのでしょうね」とさすがに驚いておられました。先生は小樽高商から書院に赴任されたばかりでした。ヒックス本の海賊版は米国系のセント・ジョーンズ大学などで使っていたのでしょう。

書院生の国際感覚を刺激

四一年末に太平洋戦争が始まり、日本軍の租界接収の通訳を務めた書院生の話では、フランス租界のアパートなどで見つけ、没収した社会主義関係の書籍、中共やコミンテルン（国際共産主義組織）の秘密文献はおびただしい量に上ったそうです。二一年（大正一〇年）七月にフランス租界で中共第一回党大会が開かれましたし、翌二二年七月に第二回大会、二五年一月に第四回大会があい次いで上海で開かれています。三〇年代初めには一時中共中央が上海に隠れていました。こういった環境も書院生の国際感覚を磨いたと思います。

共青団書院支部に対する中共の指導も事実上党中央が直接関係していたようで、白区（国民党支配地区）工作を担当していた劉少奇や周恩来も書院生の活動ぶりを評価していたそうです。書院出身の日本共産党員がほとんど国際派または中国派に所属したのも、また当然かも知れません。

山口や山名の時代に根づいた社会主義研究を発展させたのは、第一次反戦運動の中心人物、安斎庫治（二七期生、のち満鉄調査部員、戦後日共中央委員兼書記局員）でした。安斎は小さいときから朝鮮や満州で苦労して育ち、なんとか中学卒の資格を得て、満鉄派遣生として書院に入りました。少年時代、「中国人と同じように安い給料で働き、中国人の痛みを身にしみて感じた」という安斎は正義感が強く、生涯を中国派で通しました。のちに全学ストを指揮したときの断固とした指導ぶりから〝信念の人〟と同窓生から呼ばれていました。

安斎がやった四つのこと

安斎が書院の左翼運動でやったことは四つあります。第一は、共青団書院支部を組織したことです。三〇年春、安斎は優れた中国分析でめきめき売り出し中の尾崎秀実を朝日新聞上海総局に訪ねて、マルクス主義研究会の講師を依頼しました。参加者は安斎のほか、白井行幸（二八期生、のち満鉄調査部、四五年巣鴨刑務所で獄死）と水野成（二九期生、ゾルゲ・尾崎事件の重要人物の一人、四五年仙台刑務所で獄死）の三人で、半年後の九月にこの三人で初めて共青団書院支部を作りました。

安斎らが共青団支部を作ったのは、書院中華部（中国人学生部）の共青団員の紹介によるものでした。中華部には早くから共青団支部ができていて、作家の田漢、夏衍（沈端先）、マルクス経済学者の王学文ら中共党員が出入りしていました。書院の持つ治外法権が中共の活動に利用されたようです。

書院支部には〝飛行集会〟や街頭デモに参加せよという指令がよくきました。飛行集会というのは、目抜きの場所で一人が台の上に突然に立って二、三分間短い演説をし、人が集まるとデモし、ビラを撒いてさっと散るというやり方です。極めて危険でした。党中央を握っていた李立三の極左冒険主義の影響がまだ残っていて、多くの青年労働者、学生、文化人らがその犠牲になり、「同志たちをわが手で警察に送り込んでいる」と批判されていました。

第二は、『日支闘争同盟』に参加したことです。『同盟』は海軍陸戦隊員や黄浦江に停泊する日本海軍艦船の乗組員に対する反戦宣伝が目的で、三〇年九月に西里達夫（二六期生、上海日報記者、のち同盟通信、読売新聞上海、南京特派員、戦後日共熊本県委員長）、岩橋竹二（同、上海毎日新聞記者）、川合貞吉（上海週報記者、のちゾルゲ・尾崎事件で懲役一〇年）らが中心になって組織したものです。

ホー・チミンも上海にいた

しかし、実際の指導者は王学文（中国社会科学者連盟員、中共江蘇省委員会委員、のち中国科学院哲学社会科学部委員）でした。王は京都大学で河上肇からマルクス経済学を学びました。『同盟』の具体的行動は中国外国兵士委員会日本部委員の台湾人、楊柳青が指揮しました。外国兵士委員会は中共の指導下にあって、日本部のほかフランス、アメリカ、イギリス、イタリアなどの各部にわかれ、それぞれ上海に駐留する自国の軍隊に働きかけていました。「ベトナム建国の父」として国民から敬愛されているホー・チミンも当時上海でベトナム人工作で活躍していました。三一年のメーデー当日には、黄浦江に停泊中のフランス軍艦

がフランス帝国主義批判、ベトナム解放を呼びかける赤いビラで真っ赤になったといいます。

『同盟』員は水兵らに反戦ビラを配り、陸戦隊近くの道路の塀に「日本帝国主義を倒せ」「中国のソビエトと手を握れ」などと大書して回りました。また水兵の中に反戦グループを組織しようとも試みました。

しかし、こうしたことも極めて危険な仕事でした。そうしたところへ、三〇年一一月二六日に『同盟』員の岩橋が同文書院見学に訪れた日本海軍少尉候補生一行に対して、校内で反戦ビラを配るという無思慮な行動を取ってしまいました。これも中共の厳しい指令で任務遂行をあせった結果です。このために、翌二七日未明、総領事館警察が同文書院の寮を急襲して安斎、白井、水野のほか、日ごろから目をつけていた中西功（二九期生、のち満鉄調査部員、戦後参議院議員、日共神奈川県委員長）、坂巻隆（同、戦後日共党員）、新庄憲光（同、のち満鉄調査部員、四五年豊多摩刑務所で獄死、新庄憲章早大教授の弟）ら八名を逮捕し、共青団支部は大打撃を受けました。日支闘争同盟の他のメンバーはいち早く姿を消し、同盟は自然消滅しました。

初の全学スト

第三は、書院初の全学ストを断行したことです。学校が支給する制服や靴の寸法が合わず、請負制で信用組合がやっている食堂の食事がまずいことがかねてから学生たちの不満のタネでした。そこへ学校会計の使途に不明な点があるという新しい問題がわかり、これに対する学校当局の回答に誠意がないというので、副院長と教頭の引責辞職要求を学生大会で決議しました。しかし、学校当局の反発で決着がつかず、安斎、白井、水野らの指導で学生たちは右翼学生の妨害を押し切って三〇年一一月下旬に六日間のストに入ったのです。

この問題は、安斎らの逮捕を機に学校側が安斎と白井を退学、水野を無期停学、他の一一名を停学または謹慎処分にして決着をつけました。

第四は、文芸部を学芸部に改め、機関誌も新聞タイプの『江南学誌』と変えたことです。創刊号には中国農村問題や中国革命について社会主義的立場の論文が載り、にわかに時局色の濃いものになりました。安斎が学芸部と呼び方を変えたのは、社会主義を学ぶことを文芸よりも重視したからでした。書院生の左翼運動の中心は常に学芸部でしたし、共青団員も多くが学芸部員でした。

同文書院学芸部発行の「江南学誌」

学芸部（26期生）メンバー

一九三〇年代の上海

バンド（外灘）

ブロードウェイマンション（現・上海大廈）
とガーデンブリッジ

菩提樹の葉陰（外灘）

上海郵便局

南京路

四馬路（現・福州路）

二、第二次闘争—中共書院支部の結成

安斎が検挙されたあとを引き継いで学芸部幹事になったのは、奥村栄（二八期生、のち愛知学院大教授）でした。温厚な奥村は学校当局の要望をいれて、三一年夏に『江南学誌』を雑誌タイプに戻し、名称も『第二江南学誌』と改めました。そして文芸、短歌、俳句などのページを増やして、左翼色を薄めようとしました。それでも創刊号には、反日の空気が日一日と高まる中国の国内情勢を報じた中西功の「上海革命ルポ」も載っていました。奥村も「国際情勢から、中国国内の革命的高揚から」と題する巻頭言を書いています。

学芸部を中心とする左翼活動が活発になったのは、三一年春に奥村が卒業したあと、高原茂（二九期生、のち満州協和会、ソ連抑留から帰国後新生活連盟本部）が学芸部の幹事と研究会および宣伝活動を引き継いだのちです。

共青団再建の中心になったのは坂巻隆、中西功、高原茂の三人でした。逮捕され、停学処分になった坂巻、中西、新庄らが三一年四月の新学期から次ぎつぎに学校に戻り、再び活発に動き始めました。文学青年の高原は捜査当局の目をのがれた一人ですが、考えはしっかりしていました。

共青団再建のきっかけは、坂巻が共青団江蘇省法南区（フランス租界と上海市南部）委員の中国人の紹介で三一年夏ごろ共青団に入団したことでした。このあと高原、中西、浜津良勝（のち大連税関員、中共諜報団いわゆる中西グループ事件に関係、戦後出所まもなく死亡）、桑島信一（のち愛知大教授）ら二九期生が続々と入団し、九月にはひと回り大きくなった第二代の共青団書院支部が生まれました。

ゾルゲやスメドレーらを知る

領事館警察の手入れ後、中共と書院支部との連絡は途絶えていましたが、上海市中に潜んでいた水野と朝日新聞の尾崎秀実の仲介で連絡も復活しました。水野は坂巻らと一緒に三一年一月釈放されたものの、無期停学で学校に戻れないので、外兵委員会の楊柳青の仕事を手伝っていました。そのとき、楊からコミンテルン（国際共産主義組織、本部モスクワ）関係者やソ連のスパイ、リヒャルト・ゾルゲ（独フランクフルター紙寄稿記者）らを紹介されました。水野がゾルゲの仕事を手伝い、国際スパイ活動に入るきっかけでした。水野はこのころよく外国人と一緒に街を歩いていたそうです。尾崎秀実もやはりこのころ米国の女性左翼ジャーナリスト、アグネス・スメドレーやゾルゲと知りあいました。

京都の宮津中学時代から学校闘争の経験がある水野は

「非合法活動にかけては尾崎よりも先輩で、動揺する尾崎を励ましていた」（中西功『中国革命の嵐の中で』青木書店、四四ページ）といいます。ゾルゲはその手記の中で「私は彼から政治スパイというよりは、むしろ学者といった印象を得た」（『現代史資料・ゾルゲ事件1』みすず書房、一六〇ページ）と述べていますが、水野は書院の学内闘争のときでも慎重で、はね上がるような点は全然なかったそうです。学生時代の写真を見ても知的な、いい顔をしています。

中西が水野の忠告でとくに感銘を受けたと言っているのは「非合法活動の中でもわれわれは普通の、本当の人間でなければならない」という言葉です。水野は「道のりは長いのだから、ゆっくり腰を落ち着けて、一歩一歩やっていかなければならない」とも強調したそうです（中西前掲書、六八ページ）。

二代目がやった三つのこと

第二代の共青団書院支部がやったことは三つあります。基本的には初代がやったことの継続で、それをさらに活発にやったのです。とくに三二年夏以降、上海事変で一時長崎に避難していた書院生が上海に戻ってからは、さらに一段と活動が活発になりました。

支部がやったことの第一は、学校改革期成同盟として食堂問題など学内の改革と社会科学研究会としてマルクス主義の研究でした。これは、いわば学内活動です。

第二は、共青団書院支部として政治宣伝活動で、これは支部の学外活動です。具体的にはビラ配りとか飛行集会、デモなどに参加することでした。

初めのころは、第一の責任者は中西、第二の責任者は高原に決めていましたが、中西が次第に外部の仕事で忙しく、東京で逮捕されたりして書院にいなくなったため、高原が第二の仕事も引き受けるようになりました。

そして第三は、外兵委員会が指導する日本兵士工作を実行することでした。この仕事の責任者は坂巻で、坂巻は外兵委員会委員でもあり、上海市中に潜伏して、ほとんど学校には顔を見せませんでした。

三一年一二月に共青団書院支部員も参加して『対支非干渉同盟』を組織し、満州事変後ますます露骨になった日本の中国侵略に対する反対運動を強化することになりました。これは一年前に自然消滅した『日支闘争同盟』の発展的復活でした。中共江蘇省委の王学文、外兵委員会の楊柳青、コミンテルン関係の尾崎秀実と川合貞吉、書院支部の坂巻隆と武田大典（三〇期生、のち米国共産党員）らが上海の娯楽場『大世界』の近くで会合して、再建を決めまし

た。武田は当時、書院と外部の連絡役でした。

無謀な宣伝活動

『対支非干渉同盟』を土台にして、坂巻は一ヵ月後の三二年一月に『在華日本兵士協議会』を組織し、さらに同年九月にこれを『第三艦隊水兵協議会』と改称しました。名前からも明らかなように、書院支部の活動の中で日本水兵工作が大きな比重を占めていまして、支部員の数が増え、時局も切迫していましたので、活動は初代よりはるかに活発でした。機関紙として『反帝線』のちに改名して『支那から手を引け』を発行し、邦人の間にひそかにばら撒きました。

書院生たちは海軍の指定食堂や一般の日本人食堂に反戦ビラをいれたマッチ箱をこっそり置いてきたり、水兵の中にサークルを作ったり、〝赤い〟女給を指定食堂に送り込んだりしました。こんな幼稚な宣伝活動を書院生たちは一年近くも続けたのです。軍や警察の眼前で書院生らは姿を丸出しにしていたわけで、組織の壊滅は時間の問題でした。

こんな無謀なことをいつまでもやらせた中共の指導に問題がありました。極左冒険主義を批判された李立三は三〇年末に失脚し、ソ連派の王明が代わって党中央を指導していましたが、彼もモスクワの指示で動き、その政策は中国の実情に合わず、極左主義の誤りを清算できませんでした。

尾崎庄太郎（二六期生、満鉄調査部員、のち日共党員、中国研究所理事）は「引き回しや押しつけがましい、公式主義的・図式主義的指導だった」（『徘徊』日中出版、一一五〜一一六ページ）と述べ、王学文や外兵委員会の楊柳青ら中共指導者を批判しています。軽率、非情な指導によって不遇の生涯を余儀なくされた多くの若ものたちを悼むからです。

尾崎秀実も日本兵士工作に専念していた坂巻隆に対して「兵士工作も大事だが、書院の同志たちがそれぞれ卒業し、中国にある新聞社や会社、官庁などに腰を落ち着け、そこで有益な仕事をすることは非常に大切なことで、こうした方面の努力も考えねばならないのではないか」（中西前掲書、六八ページ）と忠告したといいます。まじめな坂巻のひたむきさが尾崎には危なく見えたのでしょう。坂巻は獄中で健康を害し、長い病床生活ののち死にました。

第一次上海事変―一九三二年一月

日本軍による上海空襲

日本海軍上海陸戦隊による砲撃

フランス租界のバリケード

閘北の戦跡

書院生の演説に歓声

しかし、書院支部の反戦活動は、三一年九月の満州事変、翌三二年一月の上海事変と日中両軍の衝突が続く中でますます激化してゆきました。上海事変の直前に、中国民衆の反日感情の沸騰ぶりとそれを支援する書院生の活動ぶりを伝えるつぎのようなエピソードがあります。

三二年一月一〇日の日曜日、上海の旧市街、南市の体育場で、反日救国会主催の犠牲者追悼大会が開かれたとき、日本の労働者・農民代表団の中から小柄の青年が立って演説しました。市民の反日エネルギーが日毎に高まっていたときでしたが、日本青年の演説は聴衆から歓迎され、とくに最後に「中国ソビエトを守れ、紅軍（中共軍）を守れ」と中国語で叫んだときには人びとは歓呼してこれに応えました。

当時はまだ、国民党も共産党もともに「まず国内の敵を倒してから抗日を」と叫んで江西省で激戦を続けていましたが、国民が求めていたのは「一致抗日」でした。日本青年の呼びかけを聴衆が熱狂的に歓迎したことが、このことをはっきりと裏付けたのです。

集会に続いてデモが行われ、さらに一週間後に再び行われたデモには一〇万人が参加し、上海事変のさいの頑強な抵抗で一躍国民的英雄になった国民党十九路軍の兵士が剣つき銃をかついで先導していました。そして一一日後の一月二八日、ついに上海事変が起こりました。

集会に参加した日本の労働者・農民代表団とは、実は同文書院の共青団員たちで、演壇に上がったのは中川四郎(二九期生）でした。満州中央銀行に勤めた中川は終戦を北満で迎えましたが、中川の演説を聞いた中国青年、終戦時の中共幹部と再会し、望まれるままに中国に残り、北京で死にました。

こうした書院支部の活動ぶりを評価した中共の誘いで、三二年六、七月に高原と坂巻があい次いで中国共産党に入党し、翌三三年三月には二九期生の福田清、吉岡常利、瀬川英助、竹田芳弘、三〇期生から信原信、代元正成の計六人が同時に入党し、中共書院支部が結成されました。

その直後の三月一二日早朝、総領事館警察が再び書院学生寮を急襲して、卒業したばかりの高原茂ら二九期生九名のほか、三〇期生五名、三一期生二名、三二期生三名の計一九名を逮捕しました。同時に、市内に隠れていた坂巻も逮捕されました。中共支部結成直後のすばやい検挙は、書院内部に捜査の手が伸びていたことを示します。

この大量検挙で、中共の書院内の組織はほぼ壊滅し、書院生の組織的な反戦運動は消滅しました。このあとはＯＢの活動の時代に入りました。

第一次上海事変，中国人女子学生の抗日デモ

三、OBの活動と終焉

書院を去ったOBたちは、新しい活動の場を求めて、中国と日本の各地に散ってゆきました。しかし、日々に険しくなる日中間の情勢は、散っていった同志たちを再び結び付け、新しい反戦闘争を広い大陸を舞台に繰り広げることになりました。

西里達夫は『日支闘争同盟』の首謀者として三一年八月東京で逮捕され、一年の刑で諫早刑務所で服役、出所後三三年一〇月に上海に渡り、王学文の紹介で中共に入党しました。その後、新聞連合通信（のち同盟、現在共同通信）や読売新聞の上海総局、南京支局などの記者をしながら、日本軍や汪精衛政権の内情をひそかに中共に流していました。西里は日本の報道機関の特派員として日本軍や日本政府関係機関に出入りしていましたから、華中地区の日本側の重要な情報は彼を通じて中共側に伝わっていたと思われます。有能で人望のあった西里が中共に情報を流していたと知ったとき、友人や上司たちは仰天したそうです。

西里はまた、華中で活動していた中共新四軍のために日本兵士向けの宣伝ビラやスローガンを作り、中共組織内の討論にも参加しました。日中戦争の初め、中国では日本の国力について過大評価と過小評価の両極端に意見がわかれていま

したので、現実を知る日本人の西里の意見は重要でした。

中江丑吉の一の弟子

西里と同期の尾崎庄太郎は、三〇年に卒業後東京のプロレタリア科学研究所（プロ科）中国問題研究会の正式メンバーとして働いていましたが、次ぎつぎに変わる彼の借家はいつも書院活動家の溜り場になっていました。温厚な人柄だったためでしょう。北京に住んでいた市井の中国研究家、中江丑吉（中江兆民の子）にも可愛がられ、第一の弟子とされていました（華子夫人の話）。

プロ科に対する弾圧で三二年四月に逮捕された尾崎は三年後に出所すると、西里の呼び寄せで上海に渡り、その後天津の支那問題研究所（所長の船越寿雄が尾崎秀実らと三六年に設立、船越はゾルゲ事件に連座）を経て、三八年末から北京の満鉄北支経済調査所に腰を落ち着けました。

中西功は三二年二月に書院が上海事変を避けて一時長崎に引き揚げたとき、尾崎を頼ってそのまま東京に直行しました。中西が尾崎のところへきてまもなく、四月のプロ科弾圧で、尾崎のほか安斎庫治、中村太郎（二七期）、森山宣夫（二八期）、新庄憲光ら尾崎の周辺にいた書院の同志たちとともに逮捕されました。プロ科にいた白井行幸はすでに陸軍に召集され、満州に送られていました。

白井行幸は朝鮮人が多い間島地方で金日成の抗日パルチザン討伐をやらされました。中国共青団員だったというので、ひどい仕打ちを受けましたが、上官や古参兵たちの不法な圧迫に敢然として立ち向かい、兵士たちの支持で上官をへこませたこともあったそうです。三五年秋、ハルビンのキタイスカヤ街で、調査旅行中の中西と現地除隊した白井が偶然に出会い、中西の世話で白井は大連の満鉄本社調査部に入り、中西や新庄憲光、浜津良勝（大連税関）らの同志と再び一緒になりました。

安斎庫治は日共共産主義青年同盟のオルグとして東京城南地区で活動中、プロ科弾圧に巻き込まれて仙台刑務所で服役。三九年満鉄調査部包頭事務所、続いて張家口事務所に落ち着き、清末の古文書や石碑を読んで同地方の土地開墾問題の研究に没頭しました。研究論文は学会に紹介されたそうです。内蒙古の包頭時代は新庄と一緒でした。

一方、水野成は三一年夏に日本に送還されたのち、主として関西にいて上海時代に関係を持ったゾルゲと尾崎秀実の工作を助けていました。

中西グループの人たち

以上が左翼ＯＢたちのその後の概況ですが、三八年五月、中西功が満鉄調査部上海事務所に赴任し、本格的活動を開

始したころには同じ上海に河村好雄（満州日日新聞上海特派員）、南京の読売支局に西里、北京の満鉄調査部北支経済事務所に尾崎と白井、包頭の満鉄調査部事務所に新庄（安斎は活動に加わらず）、大連税関に浜津、新京の満州国政府に森山宣夫、香港の満鉄調査部事務所に片山康弐（三一期）らが赴任していました。彼らがのちに「中西グループ」（中共諜報団）といわれた人びとです。さらに満鉄調査部東京事務所には、書院出身ではないが、旧知の尾崎秀実がいました。

この二年前の三六年夏、大連で満鉄本社資料課の中西と高原茂（まもなく満州協和会に移る）、調査課（のち調査部）の新庄、それに天津からきた尾崎庄太郎らが集まって反戦活動をどう組織するかについて話し合っています。そのとき中西は、日中の戦争を食い止め、日本の侵略の野望を挫折させるために、中国人民との共闘を反戦活動の根本に据えることが必要と主張しました。もし良心的な、戦闘的な日本人が民族主義や排外主義の壁を打ち破って、日中両国人民の共闘という国際主義の思想に接近してゆけば極めて有効な闘いになる、と中西は信じていました。そのために、この話合いの直前の五月、上海で西里を通じて四年半ぶりに王学文と会い、中共と連絡を回復しました。

また中西は、反戦の実践のために、同文書院の以前の仲間たちでグループを作り、連絡し合うことも主張しました。これに対して尾崎は、過去に傷を持つ書院の同志たちが再び連絡を持つのは危険で、組織原則にも反すると反対しましたが、中西は書院グループ方式を捨てるのは活動を放棄するのに等しいと言い、初説を変えなかったようです。

さらに中共と連絡を取ることについても、尾崎はこのことを中共に情報を流すこととは考えないで、有効な反戦活動のための日中両国人民の協力の一環という考えでした。しかし実際には、書院グループをリードした中西が中共に与えた情報は得た情報よりも価値のあったものが多く、中西は中共に加担していた、と日本軍などは見ていたようです。でもそれは、中共のほうが日本側よりも中西への情報

1972年８月熊本で再会した、尾崎庄太郎（左：26期生）、西里龍夫（中央：26期生）、中西功（右：29期生）
〈中西功著『中国革命の嵐の中で』青木書店より〉

提供にヨリ慎重だったということでしょうし、中西にとっては反戦闘争の一環ですから当然な行動だったわけです。

中西は中共と支那派遣総軍の双方と深い関係を持ち、しかも双方から二重スパイかと疑われていました。中国情勢を分析するには、敵対する日中両国軍の間をきわどく綱渡りをして、現地の情報や資料を集める必要があったのです。中西は奥地情報の収集を名目に満鉄調査部上海事務所の外郭団体として「特別調査室」をつくりましたが、室員はすべて中共党員で、彼らは日本軍が発行した「特別通行証」で奥地と往復していました。

〝大河の如き伝統〟の実地調査

中西の中国情勢分析は、大旅行で培われた書院の〝大河の如き伝統〟である実地調査の手法に依っていました。書院グループのほか、満鉄調査部、中共ルート、支那派遣総軍などから入るおびただしい量の情報や大陸各地の公刊物を、中西の回転の速い頭脳が整理、分析し、ずば抜けた調査成果を挙げました。中西は「中国側の詳細なデータを細大もらさずかき集めることよりも、現地で得られる月並みな資料を利用し、それらの背後にある（本）質的なものの究明に最大の努力を向けた」（中西前掲書、二二二ページ）と言っています。

情報や資料は主として中西個人のルートによるもので、調査部の誰も彼にかないませんでした。中西は毛沢東の『持久戦論』を精読してその抗日戦略を知り、また統一戦線による中国人民のエネルギーの強大さを理解していました。このことが彼の理論的強みで、当時、中国の抗日統一戦線の必然性と成功を正当に評価していたのは中西、白井、尾崎秀実それに自分ぐらいだったろう、と尾崎庄太郎は言っています。三六年一二月一二日に西安事件（蒋介石総統を東北の張学良軍が監禁）が起き、国共両党関係が最後の関頭に立ったときにも、中西、尾崎、白井らは国共両党再度の合作と抗日民族統一戦線結成の必然性をいち早く主張しました。

政治的解決だけが事変を解決できる

こうした人たちによる調査研究の成果が三九年一〇月から翌四〇年一二月にかけて三回に分けて刊行された膨大な『支那抗戦力調査』でした。中西が中心になってまとめたこの調査は満鉄調査部が行った三大調査の一つで、最も成功した調査とされています。

『支那抗戦力調査』の結論は「日本軍が軍事的に攻撃しても封鎖しても、中国がそれによって軍事的、経済的に参ることはない。中国は抗戦を続ける最小限のものは保有し

ている。ただ政治的解決だけが『事変』を解決できる」ということでした。「中国を単に半植民地・半封建社会と見て、日中戦争を日本と軍閥との闘いと見るような中国論は影をひそめ、科学的な立場の前に非合理的な理論や調査は敗退しました」と中西は一部の観念的中国論を一刀両断にしました（中西前掲書、二二二ページ）。

中西が『抗戦力調査』をしたのは、肉を切らせて骨を切るの苦肉の策で、軍に協力しながら、軍事作戦の矛盾の暴露を目指したものでした。

しかし、ついに中西らの活動が終わるときがきました。四一年一〇月一七日、水野成（当時坂本記念館）が尾崎秀実やゾルゲと前後して逮捕され、続いて河村好雄が半年後の四二年三月三一日上海で逮捕されました。ソ連の対日スパイ、ゾルゲを中心とした国際諜報団事件に関係した容疑でした。

ゾルゲ事件の取り調べの中で中西グループ－中共諜報団の存在が判り、四二年六月一六日、中西が上海で、西里が南京で同じ日に逮捕され、他のものも次ぎつぎに逮捕されました。

さらに続いて、三か月後の九月二一日と一年後の四三年一〇月二九日に満鉄調査部の残りの左翼論客や活動家たちが一斉に逮捕されました。

書院左翼ＯＢの反戦闘争はこうして終焉しました。

四、現実の中国への理解と同情

書院の左翼学生らを反戦運動に駆り立てたのは、一つには、中国に暮らして中国と中国人の現実の姿を知り、彼らの〝救国〟の主張の正しさを理解したからです。私も初めて上海についたとき、日本で聞かされ、想像していた中国像と現実の中国とのあまりの違いにびっくりしました。最初に降り立った黄浦江の埠頭には日焼けし、汚れた姿の労働者―苦力たちがかけ声をかけながら荷物をかついでいましたが、体格がよく、声にも力があって、中国人の苦力さえ決して想像していたような〝土人〟ではありませんでした。

三七年（昭和一二年）七月に日中戦争が始まったとき、日本人たちは「戦争は三か月で終わる」「支那兵など日本軍が行けば逃げるだけだ」などと言って中国人をバカにし、中国の戦いが泥沼化し、日本帝国の滅亡が始まるなどとは夢にも思っていませんでした。日清戦争で中国に勝ってからは、それまで師匠だった中国を見下し、日本人の頭にある中国はいつまでも清国時代、軍閥割拠時代の立ち遅れた中国そのままでした。日本の指導者は中国の〝目覚め〟を正しく認識せず、とくに陸軍は軍事力をカサに強引な中国侵略を続けて、国を滅ぼしました。

第二次上海事変－一九三七年八月

閘北（旧共同租界の北側）の戦跡

デキシー路（旧共同租界の一角）の大火災

戦火をうけた北停車場（旧上海駅）

国際都市上海に驚く

私が上海に渡ったのは日中戦争が始まって二年近く経ったころでしたが、上海の中心部には戦火の傷跡はまったく見当りませんでした。私たちが載ったバスは黄浦江岸から目抜きの南京路へと進みましたが、江岸に林立するビル群、建ち並ぶ商店のウィンドーの華麗さ、人びとの衣装の立派さに驚きました。「これが戦争に負けている国なのか」と不思議に思いました。

私が一番驚いたのは電車、自動車、歩行者で込みあう雑踏の中を私たちのバスが巧みに進んで行くことでした。それは初めて見る〝車社会〟だったのです。中国人はこんなに上手に車を運転できるのか――いまから思えばばかみたいですが、当時の日本人の中国人観はそんな程度でした。真実を知らない、知らせない、精神的鎖国状態の恐ろしさです。黄浦江沿いのバンドや南京路南の愛多亜路の中央には自家用車が二列にずらりと停車していました。上海は大阪や東京をはるかに超える近代都市、国際的大都市でした。

上海は、外国人が作った租界都市で、中国ではなかったかもしれません。が、住民の大多数は大陸各地から逃げ込んできた中国人で、彼らは国際都市の生活と自由を享受し、経済的に上海の繁栄を支えていました。態度も堂々として見えました。戦後の香港の繁栄ぶりはかつての上海に似ています。

中国観が一変

これが驚きのほんの手始めで、以後中国の現実について認識が深まるにつれ、私の中国観は一変しました。中国人は本来勤勉で、労力を惜しまず、才能があり、開放的で、人間的だと思うようになりました。しかも中国人一人一人は礼儀正しく慎重で、街に酔っ払いを見ませんでした。公の席では自分の酒量の半分を限度に自制するそうです。食文化も奥深く、初めて北京ダック（烤鴨子）を食べたとき、世の中にこんな旨いものがあるのかとたまげました。

中国人たちは金儲けに熱中して、利己主義で、法律を守らず、賄賂を要求し、ニセ物を作り、傲慢で、団結せず、ばらばらな欠点はありますが、心が一つにまとまると、すごいエネルギーを発揮します。三〇年代後半から中国人はついに〝一致抗日〟にまとまり、その地力を見せつけました。

私がなによりも強い印象を受けたのは、中国人たちの憂国と愛国の熱い思いでした。なん人もの書院中華部の中国人学生が書院の日本人の友人に「国の危機にのんびり勉強などしておれない。革命軍に参加する」といって別れを告げ、学園を去りました。西里が左翼運動に入ったのもこうした友人がいたためといいます。先輩たちの大旅行記録を読んでも、中国人の民族主義意識の強烈さにみな心を打た

れています。幾度も異民族の支配を受ける中で培われた漢民族の民族主義意識、優越意識は、危機になると燃え上がり、民族を救ってきました。

書院生たちは中国に暮らして中国の現実を知り、中国人に同情するからこそ、彼らの民族主義を理解できたと思います。この点が、書院出身者の中国観と現実の中国を知らない日本人の中国観との違いになったのでしょう。現実を理解していないと、とかく文字で読んだことを事実と信じて理想化し、あるいは逆に矮小化しがちです。日本人の中国観は、昔も今も、この繰返しです。

石射の建議、惜しくも容れられず

書院出身者の中国理解を示す一例に石射猪太郎(五期生、上海総領事、シャム大使、東亜局長、ブラジル大使を歴任)を挙げたいと思います。石射は人格、識見ともに優れた名外交官で、著書『外交官の一生』(中公文庫)は外交官自伝中の白眉といわれています。彼の真骨頂は日中戦争の処理をめぐって発揮されました。

三二年(昭和七年)七月七日蘆溝橋で発砲事件(中共の工作説が有力)が起きたとき、東亜局長に就任したばかりだった石射は事件不拡大、平和解決の方針を堅持し、動員反対の嘆願書を広田弘毅外相(のち、首相)を通して閣議に提出しましたが、容れられませんでした。広田外相は軍協力者でした。

翌年五月、穏健な考えの宇垣一成陸軍大将が外相に就任した時期をとらえて、石射は「今後ノ事変対策ニ付テノ考案」と題する長文の意見書を提出しました。中国戦線の泥沼化を避けるために、日本軍の漢口占領前に日中和平の実現による事変の収拾を主張したものです。意見書は、①寛容の度量を持し、中国側の面目を立てる、②主権に制限を加えない、③蒋介石の下野を要求しない、④内政不干渉、⑤国民党の解消を要求しない、⑥経済提携に重点を置く、などを骨子にしたもので、今見ても驚嘆するほど公正なものでした。宇垣外相も賛成し、五相(首相、陸、海、外、藏)会議にかけましたが、残念ながら通りませんでした。

日中戦争は果たしてその後拡大するばかりで、解決のめどがつかなくなり、援蒋ルートの封鎖を狙って日本軍が仏印に進駐したことに米英が反発して、ついに太平洋戦争に発展しました。石射の意見書は日中戦争を解決する最後の、そして唯一の方策でした。パリの有力紙ル・モンドの極東特派員だったロベール・ギラン記者は「事なかれ主義の日本人は道義的勇気に欠ける」と言っていますが、石射が示した勇気はけだし日本人として極めてまれな例でしょう。

日中協調が建学の精神

同文書院をスパイ養成所だったかのようにいうものがありますが、それは戦後の風潮の中で持ち出された政治的発言にすぎません。もしそうだったら、近代中国の代表的革命作家、魯迅が書院で講演をするわけがありません。魯迅が日本人に講演したのは、三一年四月一七日、書院で行った一回だけです。「流氓と文学」（「無頼漢と文学」）と題して行ったその講演で、魯迅は国民党の左翼作家弾圧を無頼漢と厳しく非難しました。

また、書院のカリキュラム、研究調査プログラム、発表論文、施設などを検討した米国ジョージア州立大ダグラス・R・レイノルズ（Douglas R. Reynolds）教授は「先駆的な地域研究機関で、その内容と実績は戦後の米国の最良の語学・地域研究を上回る」と論じています。

同文書院の建学の精神を示した根津一院長の「興学要旨」（明治三三年―一九〇〇年）は

「中外ノ実学ヲ講ジテ、中日ノ英才ヲ教エ、一ニハ以ッテ中国富強ノ基（モト）ヲ樹（タ）テ、一ニハ以ッテ中日輯協（シュウキョウ、友好協力）ノ根ヲ固ム」

と述べています。同文書院は日中協調を願って創られた学校でした。

この小論文で紹介した書院出身者たちは、それぞれの立場からこの精神を実践した人たちでもありました。

景雲里23号の家での魯迅

祖父、大内暢三の肖像

――日中戦争開始時の同文書院院長――

元NHK国際局アジア部長
川原寅男（かわはら　とらお）
（旧制愛知大学法経学部経済科四期生）

略歴

一九二六年東京に生まれる。東亜同文書院大学を経て、一九五一年愛知大学を卒業し、NHKに入社。香港支局長、国際局アジア部長、中央研究所教授を歴任。現在愛知大学国際交流室、三好文化センター館長。

プロローグ
私と祖父との触れ合い

私が最後に祖父、大内暢三に会ったのは、昭和十七年（一九四二年）の夏、東京府立第八中学校の4年生の時だった。祖父は当時、東亜同文書院を、専門学校から大学に昇格させ、同時に学長兼院長の職を、矢田七太郎東亜同文会常務理事に託し、東京五反田の山手にあった自宅で、静養の日々を送っていました。私が祖父の長女である母とともに、祖父の家を訪ねた時、祖父はいつもの服装である和服に、袴姿で、和室の中央に床の間を背にして正座し、ガラス戸越しに見える庭園を眺めながら、静かに日本酒の杯を傾けていた。私と母で祖父への挨拶を終えると、祖父はおもむろに杯を置いて、「寅男も中学四年になったか」と言いながら、今度は母に向かって、「おい、不二子（母の名前）。身内のなかから一人位は、俺の意志をついでくれないか」と言い出しました。母が黙っていると、祖父は次の様に話し出しました。

「俺は今の日本の現状を見ていると、大変な危機を感じている。私は若い頃から、お前も知っているように、中国保全に全力をつくして来た。日本と中国は隣の家同士だ。隣の家と仲良く出来なければ、その家も安泰ではいられない。隣の家と本当に仲良くするためには、進んで隣の家に行き、どんなことでも話し合い、隣の家、隣の人をよく知ることだ。日本がいま中国と戦っているのは、隣の家、隣の人の事をまだ日本が本当に知らないことから起こった不幸な出来事だ。俺にはこれが残念でならない。しかしまだおそくはない。一人でも多くの人が隣の国、中国の真の姿を知らなくてはならない。一つお前も、東亜同文書院に行って、中国の姿を知ろうとは思わないか。」

古い話なので多少記憶の中ではっきりしない所もありますが、祖父は私にこの様な形で、自分の意志を伝えるとともに、同文書院への入学をすすめたのでした。

当時はすでに、日本は第二次世界大戦に突入し、日本の前途は全く見当のつかない時期だっただけに、祖父のこの願いに母は、長男である私を中国にある学校に出すことに、大きな戸惑いを持ったのは事実です。その後母は、何かにつけて、「おじいさまはあのように言っているけれど、あなたはどうするの」と再三にわたって私に尋ねたものでした。勿論私は、当時日本中を覆っていた「大東亜共栄圏の建設」と言う掛け声に、青春の血を湧かしており、同級生の一人が、「俺はインド語を習って、チャンドラボース首相と握手するのだ」と言えば、「俺は中国に行って、中国人と一緒に大東亜共栄圏を建設し、汪兆銘と握手するのだ」と言い返すなど、単純な夢を描いては、不安がる母をはげまして、同文書院への入学を志しました。それから早くも

五十四年、その間書院入学からわずか半年たらずで、上海での学徒出陣、入隊、日本の敗戦と中国での二年間の捕虜生活、復員、愛知大学への入学と、苦難の学生生活、そしてNHK記者への道と、めまぐるしい日本の中を、生き抜いて来た私でした。

しかし私のこの人生の中で、やはりいまでも心の底に強く焼き付いて離れないのは、祖父が中学四年の十七才の少年に言った言葉。「隣人を知り、隣人を愛せよ」ということです。またこれが祖父の生活を通して一貫して流れていた心情ではないかといまも信じて止みません。

今度、記念センターからの依頼で、祖父の肖像を書くために、二十八期の遠藤進氏の「大内暢三先生略伝」をはじめ、「東亜同文書院大学史」その他、多くの資料に目を通すに及んで、私は更に強く、この祖父の遺言とでも言うべき、「隣国と仲良くするためには、まず隣国を知ること。またそのために隣国を知る人を一人でも多く育てること。」この一点に祖父は、ある時には自己の生命をかけてでも、貫き通したことを知りました。

私はここにあらためて、祖父が主に、同文書院の院長時代に起こった、幾つかの出来事と、それに対する勇断と行動を明らかにすることによって、日中戦争初期の混乱期、一人の男が残した日中友好の道筋を明らかにしたいと思います。

元衆議院議員、
東亜同文書院院長・学長

大内暢三（おおうち　ちょうぞう）

略歴

- 一八七四年三月、福岡県八女郡白木村、（現在立花町白木）で、旧柳川藩士大内精一郎の長男として生まれる。
- 一八八八年九月、柳川藩校、橘陰館中学から熊本英学校に入学。
- 一八九一年、早稲田大学の前身である東京専門学校、英文科、英語政治科に入学。
- 一八九四年七月、アメリカ、コロンビア大学入学、バチェラー・オブ・ロー、の学位を得て一八九七年帰国。
- 一八九七年十月、早稲田大学で、教鞭をとるうち、先輩高田早苗（のちの早大総長）の仲介で貴族院議長近衛篤麿公爵の知遇を得て、公の機関紙発行の精神社、時論社の運営に当る。

東亜同文書院院長就任と上海事変

第一次上海事変で見せた勇断と行動

祖父、大内暢三は、昭和六年（一九三一年）十二月、近衛文麿院長の後を継いで、第六代の東亜同文書院院長に就任しました。

これから十五年間、院長在任中の祖父を取りまく日中関係は、祖父の意に反した中国と日本との戦火拡大の中で、近衛霞山公をはじめ、東亜同文書院開学の祖である、根津一、荒尾精両先生の遺訓である「中国保全の道」を、いかにして守りとおそうかと必死の計らいを見せた祖父の姿は、内では家を顧みる一時のひまさえなく、外では生命をかけての勇断と行動の連続であったと祖父の死後、母が述懐したことがありました。

祖父が同文書院とその学生に対して示した勇断と行動の最初は、昭和七年（一九三二年）一月に起こった、「第一次上海事変」の時です。ここで「第一次上海事変」の経緯に簡単にふれておきますと、事変は、昭和七年一月十八日、上海市内で、日蓮僧の四人が、中国人に襲われ、一人が死亡、三人が負傷する事件がきっかけとなり、満州事変以後、中国全土で起こっていた対日感情の悪化に火がつき、中国側は上海での武装自衛を宣言して、上海の閘北一帯に十九

- 一八九八年十一月、東亜会、同文会の合体による東亜同文会の設立に参画。一八九九年には近衛霞山公に随行して、アメリカ、イギリス、ドイツ、フランス、ロシア、トルコ、中国を歴訪。南京で、南京同文書院開設の約束をとりつける。
- 一九〇四年一月、近衛霞山公逝去により、政界への道をとり、一九〇八年第十回総選挙に出馬、当選して衆議院議員となる。以来二十二年間、木堂犬養毅を領袖とする憲政本党、立憲国民党、革新倶楽部ついで政友会総裁を歴任。一九三〇年、第十七回総選挙落選を期に政界を引退する。
- 一九三一年十二月、近衛文麿院長の後任として第六代東亜同文書院院長に就任。
- 院長在任期間は一九四〇年九月までの、凡そ十年間で、この間の主な業績をあげれば、一九三二年一月上海事変による学生の内地引揚げ、一九三五年の靖亜神社の創建。一九三七年、第二次上海事変による校舎焼失にともなう長崎での臨時開校。一九三八年交通大学借用による、上海での開校。一九三九年大学への昇格実現。一九四〇年院長兼、学長職を東亜同文会矢田七太郎常務理事に引継ぎ、引退、以後自室で静養。
- 一九四四年十二月死去。享年七十一才。法名は暢達院釈白城大居士。

路軍という精鋭部隊を配置し、一方日本側は中国政府に対して反日団体の即時解散を要求して、上海陸戦隊を配置、一月二十九日両者が遂に市内で戦火を交える結果となったのです。

　ではこのような緊迫した上海の情勢の中で、祖父がどのような勇断と行動に出たかについて述べることにします。

　祖父は、開戦と同時に、生命の安全を計るため取りあえず、書院の職員家族、職員、学生の順で、学校から日本軍の守備地区まで移動させましたが、この際全学生を講堂に集めて、次のように訓示しています。

「——前文略——諸君は支那に関する商業学を学ぶため、特に恩典をもって、徴兵を猶予されている身分である。国家の命を俟たずに、ほしいままに戦争に従事するなどの挙動があっては、もってのほかの不忠義である。この院長の目の黒いうちは、一人たりとも戦場に出ることを許さぬ。若し強いて出たい者には、たった今、退学を命ずる。又、教職員諸君も此の際、自由な行動をとられるに於ては、学生同様である」。

　同文書院の教職員、学生に対する、祖父のこの勇断は、祖父がつねに考えていた、何時、如何なる時に於ても、学生は、学問に専念するという、その本分を忘れてはならないとの信念から出たものと考えられますが、この勇断を貫くため祖父は、いつでも生命を捨てる覚悟をしていたようだと後日母が私に話しをしてくれました。それと言うのは、この訓示のあと、上海在留の日本人居留民団が、いっせい

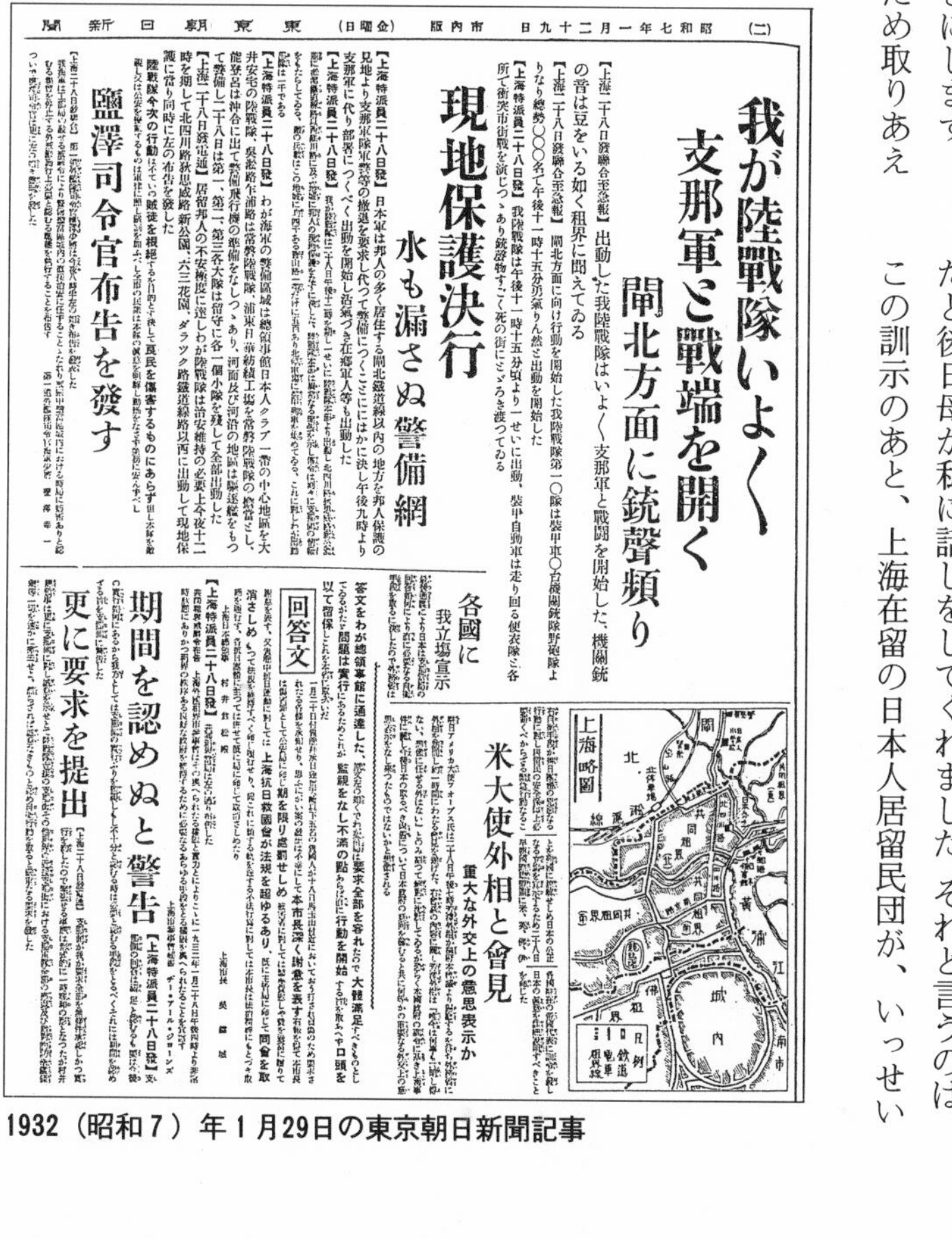
東京朝日新聞　市内版　昭和七年一月二十九日（金曜日）（二）

我が陸戰隊いよく支那軍と戰端を開く
閘北方面に銃聲頻り

【上海二十八日發聯合至急報】出動した我陸戰隊はいよく支那軍と戰鬪を開始した、機關銃の音は豆をいる如く租界に聞えてゐる

現地保護決行
水も漏さぬ警備網

鹽澤司令官布告を發す

各國に我立場宣示

米大使外相と會見
重大な外交上の意思表示か

回答文

期間を認めぬと警告
更に要求を提出

1932（昭和7）年1月29日の東京朝日新聞記事

にこの祖父の訓示に激怒し、書院学生の即刻義勇軍への参加を要求して、院長室につめかけました。

当時の様子について母は祖父から聞いた話として、「日本人の居留民凡そ百数十人が、手に日本刀やこん棒などを持ち、トラックに分乗して押しかけ、『お前は裏切り者で、売国奴だ。大内、お前のような奴を生かして置くわけにはいかない』と口々に大声でどなり、日本刀を振りかざしてきた。

これに対し祖父は、『書院の学生は、私が親から、府県から、国から、学問をするようにあずかってきた者達だ。責任ある軍司令官、総領事の正式要求がない限り、学生は一人たりとも断じて、君達の言う義勇軍に参加させるわけにはゆかない。なぜなら書院学生の本分は、学問をすることであり、戦場に出ることでは決してない。もしどうしても、君達が私に反対するなら、その日本刀で私の首をはねたうえでやりなさい。私の目の黒いうちは、絶対に君達のこのような暴挙は、許さない。直ちに帰りなさい』と大声でどなった。この祖父の鬼気迫る様相に、居留民の人達はたじたじとして、何も言うことなく引きさがってしまった」。と話しています。この祖父の生命がけの勇断と行動は、一部に動揺を見せて、義勇軍へ走ろうとしていた学生達をも、押さえる結果になりましたが、更に祖父は、このような四面楚歌のなかで、次には書院学生の全員、日本への一時帰国を決断したのです。

そしてこの決断をした時、祖父は帰国前の学生を、上海の郵船埠頭に集め、送別の挨拶をしましたが、私はこの挨拶こそ、祖父がその信念をいかんなく吐露したものであったと思っています。

すなわち、この送別の挨拶では、近衛霞山公をはじめ、根津、荒尾先生方の理念である、「中国保全」、また「東亜同文書院創立要綱」の「興学要旨」つまり建学の精神に明記されている「(序文)中日ノ英才ヲ教エ、一ニハ中国富強ノ基ヲ樹テ、一ニハ中日輯協ノ根ヲ固ム。期スル所ハ、

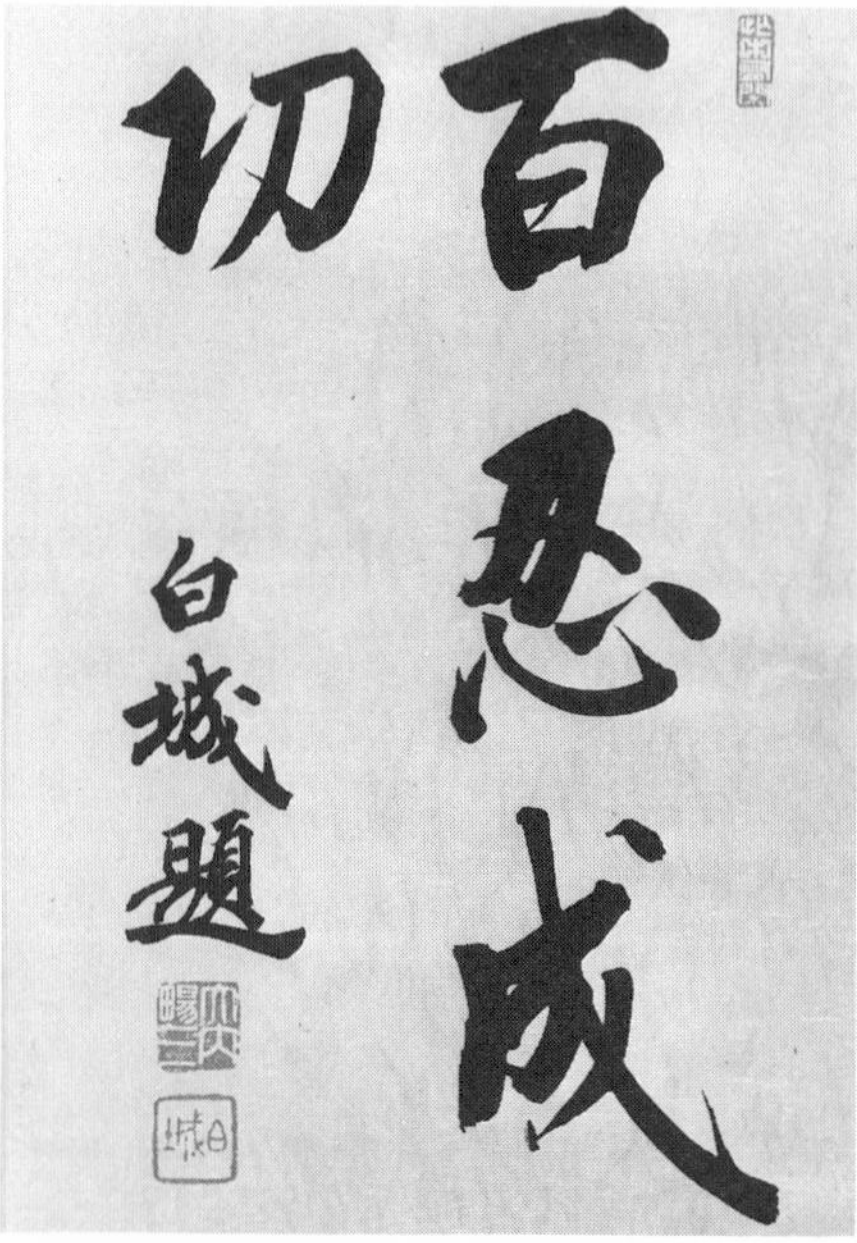

大内暢三院長の書「百忍して功を成す」

中国ヲ保全シテ、東亜久安ノ策ヲ定メ、宇内永和ノ計ヲ立ツルニ在リ。」端的に言えば、中国の国力増進につとめ、日中友好の基礎をかためるため、それに必要な人材を養成するという同文書院の建学精神とそれにともなう書院学生の本分を、この非常事態のなかでこそ、あらためて明確に示す必要があるとの堅い信念によるものといえます。

この時の送別の挨拶は遠藤氏の略伝によると次のような話です。「諸君達が今、此地を去るのは、逃げて行くのではないぞ。進むべき所に進まぬのが、逃ぐることである。進むべからざる所へ、進まぬのは、避けるのである。逃げると、避けるとの区別を辨えぬ者は、色々の事を言うであろうが、この見解を間違えてはならぬ。思うに両国の関係は益々、多事多端となるであろう。斯くの如き局面に立って、前途を画策することこそ、書院学生の義務であって、諸君を措いて他にはないのである。人若し聞かば、院長の厳命に已むを得ず、帰国したと答えよ。」

この送別の挨拶を読むたびに、私は祖父が、一身を挺して書院学生の帰国を決断し、そして実行したのは、一つにかかって祖父が私にかつて話をした「隣家との交わり」つまり中国との友好のためには、その核となる書院の学生を何んとしてでも守り抜かなければならないとの強い意志を表したものと受けとっています。

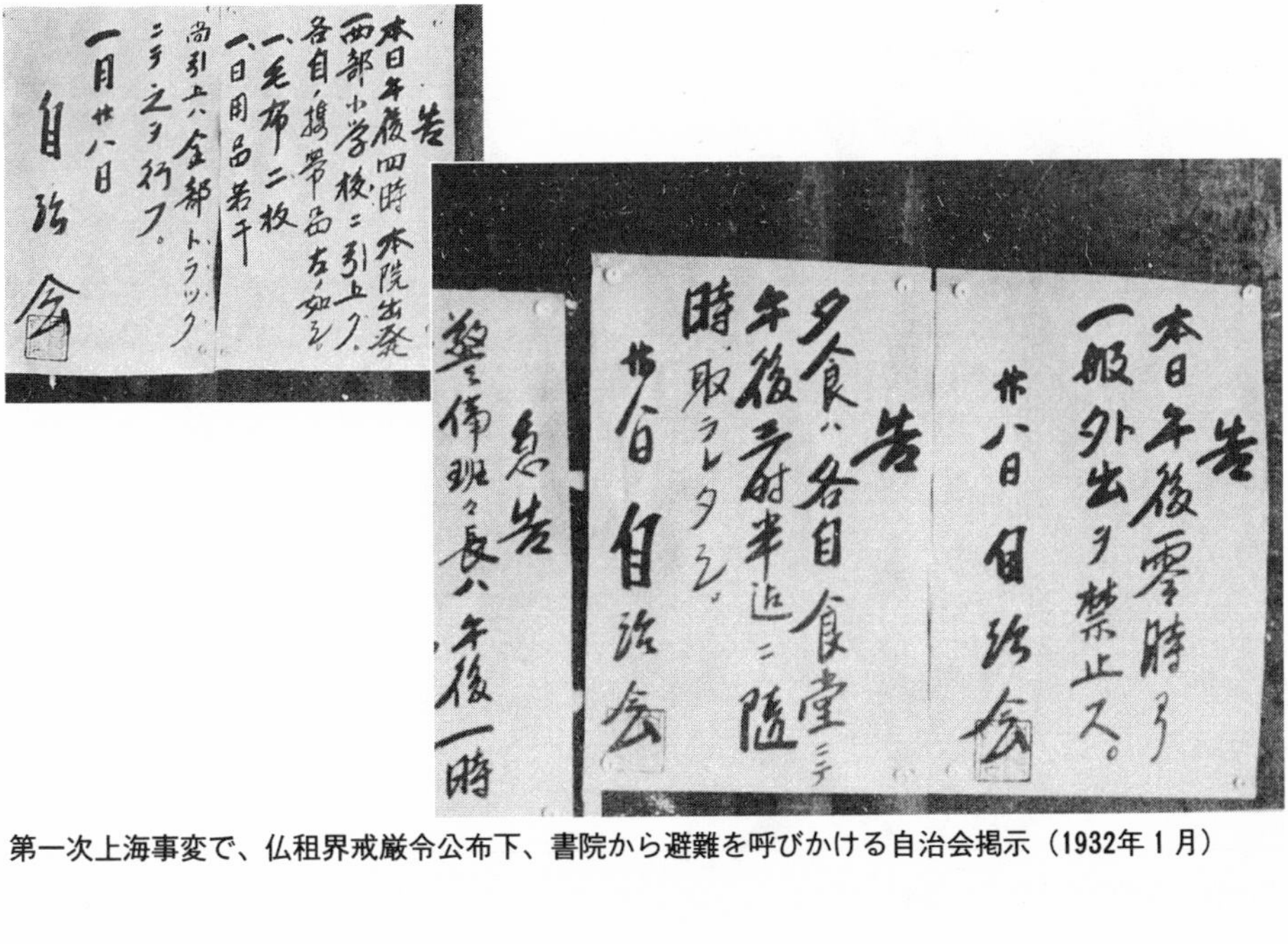

第一次上海事変で、仏租界戒厳令公布下、書院から避難を呼びかける自治会掲示（1932年１月）

第一次上海事変の難を避け、長崎引揚げのため本館前に集まった主書院生（1932年２月）

第二次上海事変での校舎焼失で交通大学借用に見せた祖父の姿勢

この祖父の堅い意志は、昭和十二年（一九三七年）七月七日、北京郊外の蘆溝橋での日中両軍の衝突による第二次の上海事変の際、いち早く、長崎に仮校舎を開設して、学業の継続をはかり、不幸にも、上海、虹橋路にあった同文書院の校舎がほぼ全焼し、教育の場が失われた際にも、当時の上海駐留の軍部と交渉して、軍が接収していた中国の交通大学を借り受け、再度上海での授業再開にこぎつけたその敏速果敢な行動を見ても、永遠の日中友好への道を、書院学生に託した祖父のなみなみならぬ熱情が感じられます。

更に私は、この交通大学を借りるにあたって祖父が、中国側に示した態度には、中国を敵視して、中国政府を相手にせずとまで、大見得を切っていた当時の日本の姿勢に対して、中国を対等の隣国として遇し、その謙虚な態度のなかに、日中の平和友好をつなぎ止めようとした、祖父の姿をはっきりと読み取ることができます。それは交通大学で行った開院式での祖父の式辞に出ています。

「交通大学は、中国の文化機関であり、たとえ一時的にしろ、我が軍の管理化にあるとはいえ、同じく文化機関で

東亜同文書院（虹橋路校舎）全焼（一九三七年十一月）

炎上しつつある書院校舎（11月7日午後9時頃）

本館

食堂の一角及び学生会館

学生会館

食堂内部

焼失前の本館

あり、日中融合提携を本旨とする本院が、此の地を借用することは、誠に忍びざるものがある。ただ隣接した本院の校舎が焼失したうえ、今日の時局が、本院の卒業生を益々必要とすること急なるため、遂に止むを得ざるものとして、一時本校舎を借用することになったのである。従って本院の新校舎が建築されれば、直ちに立ち退くべきは勿論のこと、借用中も、十分に留意して、汚損破壊等のことなきよう期する心算である。学生諸君も此の点を自覚して、鄭重に取り扱わんことを希望する」。と述べています。

この祖父の同文書院再建の希望は、不幸にして実現せず、今日に至っていますが、しかし祖父のあとを継いだ本間喜一学長が、敗戦後、愛知大学を設立し、その建学精神として、「世界平和に寄与すべき国際的教養と視野を持つ人材の育成」を唱え、特に中国研究と中国と日本との文化学術交流を中心に据えたことは、式辞で祖父の述べている、中国の文化機関を尊重し、相互の文化交流を通して、日中友好をはかろうとする意志が、いま日本でようやく花咲いたものということができます。

私は十五年間、同文書院院長、学長をつとめてきた祖父の肖像を、このようにとらえているのですが、同時に祖父にはもう一つの顔である、政治家としての顔があったことにもふれる必要があると思います。そしてこの祖父の政治家としての顔のなかにも、同文書院院長時代と同じ日中友好と平和親善に徹しようとした祖父の肖像を見ることが出来ます。

政治家大内暢三と日中戦争
祖父の生い立ちと近衛霞山公との親交

私の祖父、大内暢三は同文書院院長を引き受ける前まで、国会議員として、政治家の道を歩んでいました。

祖父、大内暢三は、明治七年（一八七四年）三月二十二日、福岡県八女郡白木村（現在の八女郡立花町白木）で生まれましたが、祖々父が県の政界で活躍していたこともあって早くから政治家を志し、熊本の英語学校を経て、早稲田大学の前身である、東京専門学校に入学、その後アメリカのコロンビア大学に二年半留学、帰国後は母校の早稲田大学で教鞭をとっていました。この時、講義をしていた、人種差別問題をきっかけにして、知己を得た近衛霞山公と深く親交を重ね、明治三十一年（一八九八年）十月、いずれも当時、中国問題に深くかかわっていた二つの団体、「東亜会」と「同文会」を合体して「東亜同文会」を設立、会長近衛霞山公の強い意志である「中国保全」を目的に会の発足に力をつくしました。

この「中国保全」というのは、当時の清国が、欧米諸国から蚕食される厳しい状勢に対して、隣国同士である日中両国が固く手を結び、両国人民が友好を深め、日中両国の知識人、指導者が中心になって、日中両国の永久平和と親善を確立しようというものです。こうした「中国保全」のため、それに必要な人材を養成する学校として明治三十四年(一九〇一年)、上海に東亜同文書院が設立されたのです。

しかし近衛霞山公が逝去されるに及んで、祖父は、霞山公の遺業を継ぐため、政治の表舞台である総選挙に出馬当選し、その後昭和五年(一九三〇年)まで、何回かの落選はあったものの、憲政本党、立憲国民党、革新倶楽部、政友会と主に、大隈重信、犬養毅の系統に属して、政治活動を続けました。

祖父はここでも、中国との関係に力を注ぎ、中国側での当時の重要人物とされた康有爲、孫文、魯迅などとの親交を深める一方、主に外務省の義和団事件賠償金による「対支文化事業」に参画し、中国との協定によって、北京に人文科学研究所、上海に自然科学研究所を開設すべく力をつくしました。

祖父は昭和五年、第十七回総選挙に政友会から出馬して落選したのを機会に、二十二年間の政界活動に終止符を打ちましたが、時あたかも、同文書院内で学生運動が起こり、その責任をとって岡上副院長が辞任する事態となり、祖父は急遽上海にわたり、その収拾にあたるとともに、それまで院長だった近衛文麿公が公務に忙しさを増したため、公にかわって第六代の院長に就任、政治家から教育者への転身となったのです。

しかし立場がかわっても、私は祖父の意志のなかには、近衛霞山公から引き継いだ「中国保全」「日中友好」への道が、脈々として流れて居り、その一貫した意志が、書院の院長という教育者の立場に立った時には、前に述べたように、第一次上海事変、第二次上海事変の際に見せた、同文書院及び学生に対する勇断と行動になってあらわれたと思います。では政治家の立場に立った時の祖父はどうだったでしょうか。勿論国会議員時代の祖父は、さきにも述べたように中国関係に力をつくしたが、国会議員をやめたあとでも、祖父の政治家としての心情は、かわることなく、日中関係の悪化にともなっての祖父の行動は、日中の前途を憂うる激しい叫びとなってあらわれています。

日中戦争に見せた祖父の哲学

この最も激しい叫びが聞かれたのは、昭和十五年(一九四〇年)当時貴族院議員だった佐賀県出身の中野敏雄氏が

上海で祖父と会談した時のことです。

中野敏雄氏はその時、近衛内閣の内務大臣をしていた平沼騏一郎氏からの密命を受けて、秘かに上海にわたり、折から重慶を脱出して、上海の隠れ家にひそんでいた、中国政界の大物といわれた汪兆銘、周仏海の両氏に会い、日中戦争の終結についての方策を話し合いました。この話し合いの中で、周仏海氏から、ぜひとも祖父に会うようにすすめられ、交通大学の院長室であったのです。

中野氏は、昭和六十三年（一九八八年）交詢会主催の午餐会で、この当時のもようを詳さに話され、更に平成元年（一九八九年）祖父の郷里、八女郡立花町白木で祖父の胸像と、祖父の尊敬していた二宮尊徳像の除幕式が行われた際にも、祝詞の中で、この事にふれられているので、中野氏のお許しを願って祖父が当時の日中関係を心から憂えていた姿を明らかにすることとします。中野氏はこう言われています。

「私（中野氏）が上海で周仏海と会っている時、周仏海は、東亜同文書院に犬養毅のもとで、国民党の代議士をしていた大内暢三という人物が院長をしている。この男は、徹底した自由主義者であり、ぜひとも会って行く必要があると言った。私は同じ九州の出身でもあり、親しみを覚えて、約三十分という約束で当時仮校舎になっていた交通大学の院長室で面会した。」

この会談は、三十分の約束が二時間にもなりましたが、会談中の祖父は院長室に座り、話しをはじめた時は白髪のあご髭をはやした古武士然とした姿だったのが、話しが進むにつれて、終始顔面を紅潮させ、若武者的熱情あふれる様子で、当時の日中関係を激しく叱責して次のように述べたと言われています。

「南京が落ちて、蒋介石が漢口に入っている時、近衛（当時の首相近衛文麿公を指す）は、陸軍にかつがれて、蒋介石を相手にせずとの声明を出した。今の支那に蒋介石をおいて誰か他に交渉相手があるというのか。自ら解決の道を

郷里・福岡県八女郡立花町にたっている二宮尊徳と大内暢三の銅像

閉ざすようなことをやってしまって、近衛は本当に馬鹿だよ。それで私は東京に飛んでいって、当時の宇垣一成外務大臣に会い、『武漢作戦をやらせるな。漢口を攻略すれば、彼（蒋介石）は必ず四川の重慶に行ってしまう。四川省は古の蜀の地で、到底、日本軍の攻め込んで行けるところではない。こうなれば、支那事変は、いよいよ泥沼に入って、収拾不可能になる。だからあの作戦はやらないで、蒋介石を漢口にそっとして置いて、交渉の余地を残し、前後処置をとるよう』進言した。しかし宇垣は、『自分も同感である。しかしすでに廟議で武漢作戦はやることに決定している』と言われた時には、私はがっかりした。

日本の陸軍が『風呂水の哲学』を理解せぬ以上、この事変は解決しないと自分は思っている。」

中野氏が「風呂水の哲学とは何んですか」と聞くと祖父は次のように答えています。

「それは二宮尊徳の教えだ。二宮尊徳は相州小田原の出身だから、箱根に湯治に行っていた。その風呂場で、そこの主人に教えた話だ。それは、風呂の中に入って、お湯を自分の方に取り込もうと手でこちらに掻けば、湯はこちらにくるようだけれども、体にあたって皆向こうに流れていってしまう。逆に向こうに押せば、湯は向こうに行くように見えるが、向こうにぶつかって自分の方に流れて帰ってくる。これが天地自然の理だ。向こうにやる事の出来るのは人間だけで、それが仁であり義である。自分の方に取りこむのは、けだもののやる事で、犬でも猿でも、向こうにやることは絶対にしない。

ところで陸軍のやり方は、満州をとった、上海をとった、さあ、南京をとった、漢口もとった、重慶も取るといっている。それは取ったように見えても、皆向こうに流れていってしまう。それこそけだもののやることで、不仁、不義だ。日本の陸軍ときたら、こちらに取りこもう、取りこもうとするばかりだ。帰ったら平沼さんに大内がそう言ったと伝えてください。」

私は祖父のこの言葉の中に、当時、如何なる理由にせよ、領土拡張に狂奔した一部軍部に対して、常に日中友好の道をさがしてやまない政治家である祖父が、その理念のもとに、二宮尊徳の哲学を引用して当時の国策を批判すると同時に、日本の前途を憂えながらも、時の流れに抗し得ない自分へのむなしさと激しい怒りを読みとることができます。

いまにして思うと、祖父と私は、さきに述べた中学生の時を除いては、ゆっくりと話すことはありませんでした。

東京五反田の自宅を訪ねても、ほとんど上海に行っていて留守のことが多く、在宅中は、来客との応対に忙しく、顔を見る程度でした。

昭和十九年春、私が母とともに同文書院合格の挨拶に行った時にも、遂に祖父とは会えずに終わりました。

そしてこの年、昭和十九年暮れ、祖父は卒然としてこの世を去りました。

私はその時すでに、学徒出陣で同文書院を去って現地の軍隊に入隊しており、はじめて祖父のなくなったのを知ったのは、敗戦後の昭和二十三年、中国から復員帰国したあとであったことは、いまだに残念の一言につきます。しかし祖父が中学生の私に、一人でもよいから身内で私の意志をついでくれとの言葉に動かされ、同文書院に入ったことは、いささかでも祖父の意志に応えることができたものと思うことにしています。いま日本と中国は、両国の努力によって、多少の問題はあっても、それらを乗り越えながら、日中のきづなを日毎に強いものにしています。

私は愛知大学で留学生を教えていますが留学生に会うたびにこう思っています。

この留学生が、もし私であるとすれば、私にとっての同文書院は、この留学生にとっては、愛知大学なのだ。そうだとするならば、同文書院院長であった祖父が、学生に残した、「その国に行って、その国の実状を学び、知ることこそ、両国の友好を支える基礎になる最も大事なことである」との意志を、同じ立場に立っている留学生に、しっかりと伝えることが、私のいまの責務ではないかと思っています。

あとがき

この文を書くに当たっては、ほとんどが母が祖父から聞いた話で、断片的なものが多く、母の話をつなぐ資料として、二十五期の遠藤進氏の書いた「大内暢三略伝」及び、中野敏雄氏の交詢会での講演録、それに大内暢三除幕式での式辞に負うところが多く、深く感謝する次第です。またこの他には東亜同文書院大学史、阿川弘之著「回想米内光政」、臼井勝美著「日中戦争」などを参考にしました。なお文中で、中国の国名の扱いは、一般的な文章表現では中国とし、歴史的公文書や過去の言葉を引用する時には、当時の歴史的事実を反映させるため、当時使われていた国名を使用したので念のため書き置きます。

東亜同文書院大学海格路臨時校舎（一九三八年ー一九四五年）

本来の東亜同文書院虹橋路校舎が、一九三七年（昭和十二年）に焼失。近隣にあった上海交通大学が重慶に疎開したあとが、同文書院の海格路臨時校舎として使用された。敗戦までの七年の歳月であった。執筆にあたった学徒出陣世代のOBは、ここで学んだ。

広大な院子（校庭）
正面は図書館。全寮制だったから書院生は朝な夕な寮から食堂へ、教室へ、グランドへとこの美しい芝生の庭を歩いた。

図書館
風格のある図書館として現在も残っており、机や椅子も昔のままである。

時計台をもつ文治堂（中院）
一階正面は講堂であり、全学生が集まり、講話や討議などが行われた。三階は寮にも使用された。（現在は別の建物に建変えられている）

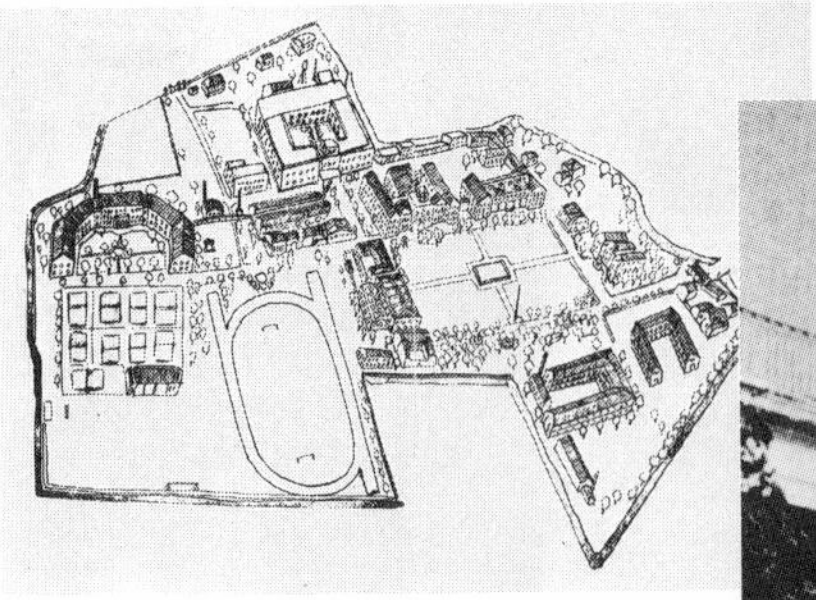

現在もそのまま残っている体育館
バスケットなど運動のほか音楽部も使っていた。ここで「大旅行送別会」や各部対抗の演芸会など全学生が集まって行われた。

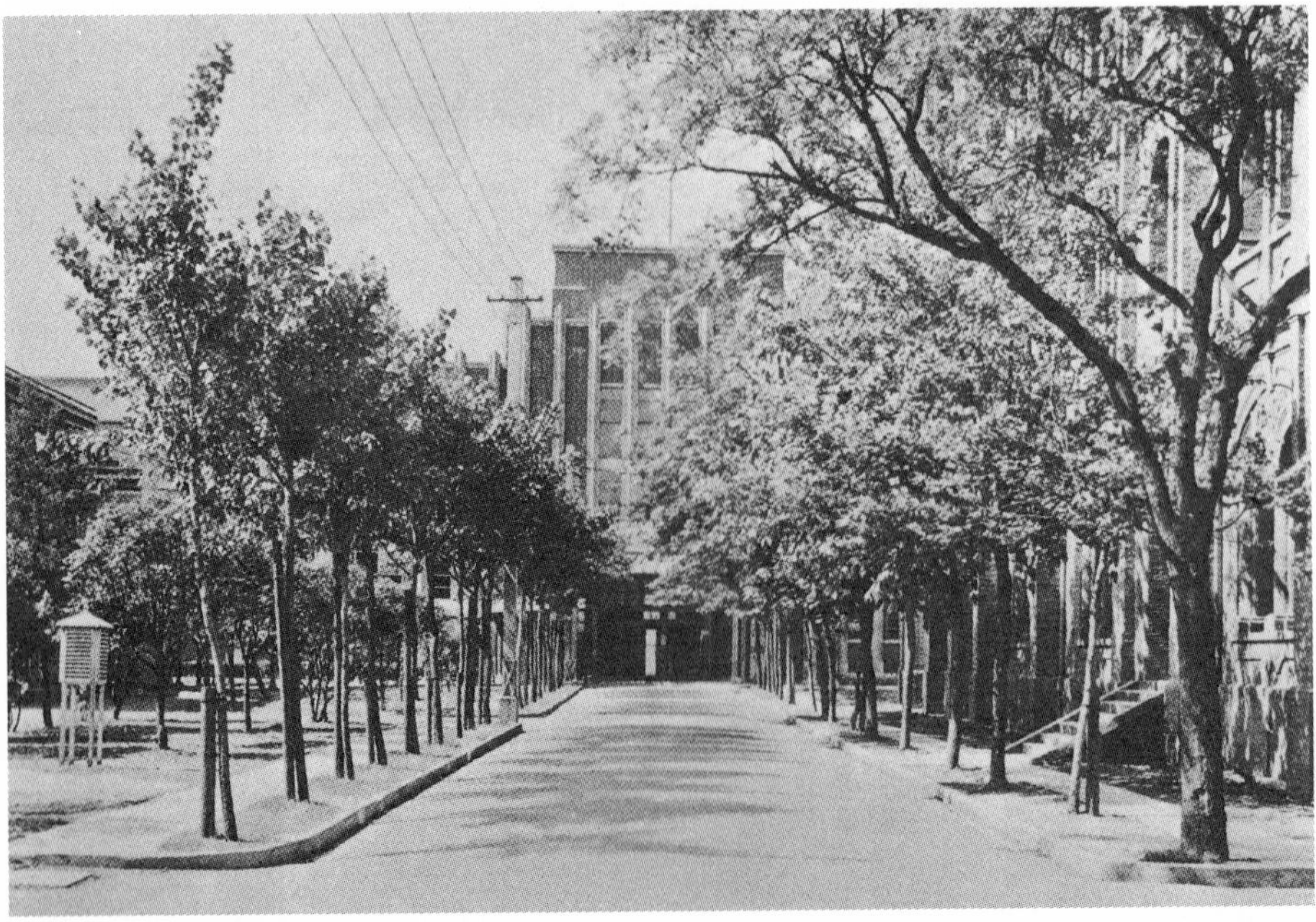

教室のあった工程館
現在は上部が建増しされている。

十年ひと昔、それでも中国

――商社マンの歩んだ五十年――

前上海交通大学日本語専家
吉川　績（よしかわ　いさお）
（旧制愛知大学法経学部経済科二期卒）

略歴

大正十二年三月、熊本県生れ。昭和十八年九月大阪外語を繰上げ卒業、東亜同文書院大学学部に入学するも学徒出陣で兵役に服務。同二十一年三月上海より引揚げ。同二十二年愛大二年に編入、同二十四年三月卒業と同時に岩井産業㈱（現在の「日商岩井」）に入社。製鉄原料の取扱いを経て同三十七年より日中貿易担当。文革で中国市場混乱の為、同四十二年五月より東南アジア市場担当。この間、サバ州マムート銅山開発、バンコクのサイヤムモーター社顧問、サラワク州クチン店長、ウジュンパンダンのセルニワ鉄鋼社長などを歴任。昭和五十四年より上海宝山製鉄所建設に参加、同六十一年帰国、平成三年五月まで㈱丸誠顧問、同五年八月より同六年七月の間、上海交通大学で日本語を教授。

戦時体制下の青年時代

「十年一昔」という言葉がある。十年も月日がたてば世間の様子はがらりと変わってしまい、悲しいことも楽しいこともみんな忘却の世界に閉じこめられて、或いは淡化し或いは消えていき、人々の生活に深刻な影響を与えたものごとが、儘かながら「昔ばなし」として語り継がれていくことだろう。

五十年前をふり返ってみると、我々の青春時代は「死と隣りあわせ」の青春だった。不気味な静寂の重圧をもった「死」が戦場にはうようよしており、当時、欧州大陸でも中国大陸でもこの戦場があって、この戦場を馳けめぐって殺し合うのが青年である。幾代も幾代も、見知らぬ青年同士の死闘がくり返されて、それぞれの国の今日がある。そして学校を出ると、愈々我々の「順番」である。

戦時体制下の学生生活は物質的にも精神的にも統制されていた。学生は集団生活の中でだけ個人の自由があり、勉学に、体育に青春の情熱を傾けることができた時代で、誰もその埒外には一歩も出られない。

今にして思えば、物資配給、統制価格、国債購入割当て、貴金属品の供出などや、大和魂、一億一心、大詔奉戴日、時局訓話などが、昨日のことのように甦ってくる。

戦時中でも学生生活は確かに特殊な環境だった。しかし満二十歳になれば徴兵検査が待ち構えており、否応なしに兵隊生活へと移っていき、死ぬか生きるかの戦場にかり出された。運が好ければ後方勤務の危険度の低い部隊に配属され、運が悪ければ第一線部隊に廻されて、配属到着の申告をしたその日から衛兵に立たされ、翌日から「討伐」に参加、毎日毎日が死神にとり囲まれた戦場生活となる。それだけに当時の青年達は自分なりにこの「死」を理解し、納得せねばならない。そこに「覚悟」「諦観」とも言える壮絶な死生観をもつようになった。と共に、人それぞれに自分では如何することもできない「運命」を背負っていることが分かってくる。この宿命の地獄から這い上がって生きて帰ったことは、私にとって一つの奇跡であり、今の人生は「余分」なものだと思っている。

学徒出陣、兵隊生活

昭和十八年十二月一日の入隊を前に、「学徒出陣」の壮行会が虹口《ホンキュ》公園の広場で行われた。その夜、日本人租界にあった高級料亭が、我々の壮行会を見て感激した一日本人によって、焼打ちに遭ったことが何故か私の記憶に鮮明である。

数日を出ずして十二月一日上海北駅に集合し、兵員輸送用の貨車に分乗して南京の兵站に送りこまれた。そこで学

生服を脱いで軍服に着替える時、一抹の不安と言いしれぬ寂しさを覚えた。

連絡船に乗って長江を渡り、又貨車に押し込まれて北上した。戦場に向かっていると思う気持ちが、不安と恐怖の緊張を益々エスカレートしていった。タイムテーブルは確実に動いていた。最も懸念していた恐怖の「順番」が本当にやってきた。貨車のすき間から大陸の寒気が吹きこんできて、容赦なく体温を奪っていく。誰もが押し黙ったまま暗闇の中で震えながら肉親を思い、自分の将来を想像したことだろう。ただレールを走る車輪の音だけがもの悲しくコトコトと、今でも私の耳底に残っている。

我々は盧州駅で下車した。

幸か不幸か我々は、そこで六カ月間正規の初年兵教育をうけた。毎日毎日軍隊生活の集団的規律にしばられて、戦闘の為の技術習得に明け暮れた。この間、何回か討伐にかり出されて敵味方の悲惨な殺傷を見聞し、古参兵の後について銃弾の飛び交う戦場をも体験した。何かで読んだように、戦争は敵が死ぬかこちらが殺されるか、人間同士の殺戮闘争であり、強者にとってはまさしくマン・ハンチングとも言えるルールのないゲームである。戦闘の渦中にあってはただ生きのびることが価値であり、国際法の条項や、人間愛の倫理は少しも役にたたない。そこでは人々は魔物にとりつかれたようにお互いに殺しあい、そして何百人何千人とあたら有為の青年達が戦争の犠牲となっていた。

我々の兵営生活は学校の寮生活の延長だった。徴兵を延期していた先輩から満二十歳になった後輩まで、九割程が書院の同窓で、残りの少人数はハルピン学院、建国大学、旅順工大などの同年兵だった。

日課は起床、点呼、飯上げ、軍事訓練、夕食後はよく軍歌演習に気勢をあげ、夜の点呼・就寝と毎日時間に追われて飽きもせずくり返したものだ。班付きの古兵は関東軍から転属してきた強者や、河南作戦で叩かれた生き残りの者で、夫々の過去を背負った激しさをもっていた。

ある日、私は通訳の使役を命ぜられて憲兵隊に出頭した。尋問室に通されて私は初老の農夫と対面した。取り調べの憲兵から事の経緯を説明され、この農夫に「八路軍」兵士の嫌疑がかけられていることを知った。それは農夫が八路兵のように真黒に日焼けしている点、右肩の瘤は荷銃によってできた瘤であるという判断からである。憲兵が農夫のアリバイ尋問にかかった時、北京官話で育った私には、農夫の安徽弁など殆ど通じない。私は根気よく何回も何回も喋らせて何とか話は進んだ。彼が捕らわれた時何をしていたのかと聞いたら、農夫はただ「スイ」と繰り返すだけである。実は「尿」のことであるが、学校では「小便」など教科書に出てこない。しかし農夫にとっては生命がかかっている一言である。十何回目かにちらっと「猪《チュウ》」という言

戦時下、大学で軍事教練が必修となる。
「演習途中で小休止。この姿は中国人に嫌われた。」と、40期生の卒業アルバムに記載されている。

ことがやっと分かった。私と農夫の真剣なやりとりを見ていた憲兵にも真実が分かったものか、農夫は即座に放免となり、彼は私を拝むようにして立ち去っていった。私は今でもその時の情景がまざまざと甦ってくる。そして語学の知識によって一人の農夫を、無知と恣意によって無理難題をふきかけてくる憲兵から救ってやったことに、ほのぼのとした満足感を覚える。

敗戦、海外居留民

日本の敗戦のニュースは上海で聞いた。天皇陛下の終戦の勅語は、録音が悪いのか受信機が悪いのか殆ど聞きとれなかった。

それから数日は書類の焼却が日課となった。目標のない集団生活は確かに苦痛だった。

やがて国民党の軍隊が上海に入ってきた。骨董品のようなさまざまな銃をかついでおり、割竹の骨で角張った背嚢を背負って草履ばきである。背嚢にはホーローびきのコップと、新しい草履がしっかり結びつけてあった。日本軍の装備に見慣れている上海の住民達は唖然としてその行進を見守っていた。

幾日か過ぎて何処からともなく、「八路軍が日本軍の兵

器、軍需物資の接収にやってくる」と噂が流れてきた。噂は住民の不安を呼んだ。八路軍については私も野戦での思い出があった。

盧州の西方に六安という町がある。当時既に八路軍の勢力下にあり、昼は国民党軍が支配し、夜は八路軍が支配していた。住民達は双方に税金を払わなければならず、国民党軍の税率は八路の方より安いが、なんと三十五年分の税金を一括前払いということだった。その町に通ずる幹線道路の郷鎮を討伐することになり、師団作戦が実施された。

遠くの方で時折雷鳴のような砲声が聞こえてきた。段々近づいていくと重砲陣地があって数門の砲が据え付けられ、交互に発射していた。我々は砲の援護をうけて弾の下を一キロ程進んだ所で停止命令がでた。古参兵の指示で岩かげや、土饅頭墓の窪みにへばりついたまま次の命令を待った。やがて砲撃も止んで、伝令がやってきて何やら中隊長と話しこんでいたが、日本軍は八路軍と国民党軍の戦闘に割り込んだ格好で、日本軍の砲撃をうけて国民党軍はいち早く退散したが、八路軍は日本軍の砲撃とはつゆ知らず頑強に抵抗したものの、やがて日本軍と対峙していることが分かって退却したとの説明があった。

当時の上海では八路軍には国民党軍も一目おいていたようで、噂どおり武装解除した日本軍に上海防衛の協力要請があり、国民党軍兵士二名に対して一名の日本軍兵士が加

1940年頃の上海・バンド（外灘）

わり、三人立哨で市内の治安維持に当たることになった。私は中国語ができるということで、国民党軍との折衝に廻され、兵器の接収受渡しやら、黄浦江岸に係留されていた舢板《サンパン》や機動運搬船などの接収確認事務をさせられ、二カ月程してやっと除隊することができた。

学徒出陣の入隊に比べ私の除隊は、独身会社員の転勤みたいなものだった。除隊証明の書類と、メリケン粉二袋に新しい軍服一着を貰って、人力車に乗って意気揚々と虹口に帰った。敗戦のお陰でやっと兵隊生活から逃げだすことができて、内心ほっとした気持だった。

敗戦を経験したことのない日本人にとって、敗戦が如何に残酷で悲惨なものか誰も知らなかった。それに反して中国人は、一部の便乗組や被害者を除いては、戦勝国民になったという態度の変化は全く見られない。却て日本人の親切や温情を知る隣人や使用人達は、日本人が帰国するまで食糧を差し入れしたり、衣類・家具の換金をしてやったりしていた。海外居留民は敗戦によって初めて「国力」がどんなものか理解できるようになった。

日本人は「日僑」と呼ばれ虹口租界にだけ居住を認められ、「日僑管理処」が一元的に居留民を支配した。フランス租界、共同租界に住んで栄華を楽しんでいた人達は、理由もなく消されたり、強奪され、或いは凌辱された。敗戦国民は生殺与奪の権をもった戦勝国民に散々痛めつけられた。これが戦争の現実だ。武装解除された軍人は、浮浪者のように郊外の五角場競技場に集められ、仮泊施設をつくって引揚船を待った。

虹口租界に集中した居留民は、売り食いをして帰国の順番を待った。昨日の支配者は今日の被支配者となった。あっちこっちで虐げられていた者の報復が伝えられ、毎日が殺人と略奪のニュースで荒んでいった。

私の乗った引揚船は舞鶴港についた。待望の日本の土を踏んで初めて言いしれぬ安心感を覚えた。

夢のように過ぎていった大陸生活は私の青春の一齣であり、私の人生のスタートとなっている。先輩の温情に守られて過ごした寮生活、如何に過酷な仕打ちにも耐えて奴隷のように生きぬいた軍隊生活、そして物理的にも群れから離れられない敗戦居留民の集中営生活。環境に順応して生きていく人間の智恵は、いろんな経験の積み重ねの中から滲み出てくるのだろう。

愛大へ、再び学生生活

町外れの破屋はアメリカ軍の焼夷弾にも焼かれずに残っていた。両親は「よう帰ってきた。よかった、よかった」と迎えてくれた。父は言葉をついで「国も国民もこれから出直しだ」と一言いった。

町に出てみて驚いた。川を隔てて焼野が原となった商店街と、昔の俤を残した儘の旧い住宅街。市内の元繁華街では焼跡に、真新しいトタン板葺きのバラック小屋ができて、闇市が公然と開かれ買物客で賑わっている。町角には蒸し薯や饅頭、おにぎりなどを粗末なお盆にのせて売っている。確かに世の中が変わったのだ。戦争のために動員された衣、食、住の資源が消耗されてしまい、残り少ない物資を求めて人々は町にやってくる。あちこちに見られる人だかりには、異様な活気が充満していた。

私も担ぎ屋の集団に入って、宮崎の切り干し大根を運んだ。

そんな或る日、叔父（書院十七期）から呼び出しがあり行ってみると、

「豊橋で、本間先生や鈴木さん（十六期）が学校作って引揚げ学生を収容しているらしい。お前もこの学校へ行ってもう一度出直しなさい。これから先、世の中どうなるかわからぬが、勉強しておく方がよい。」と忠告があり、教えられた住所番地に通信してみたら、果して編入学に関する書類一式を送ってきた。

豊橋の駅から町中を眺めながら学校に向かった。坂道を上っていくと兵営特有の生け垣が目についた。学校とは名ばかりで、外観は全く兵営だった。校庭は薯畑になっており、営養不良の薯のつるが三、四枚葉をつけて、ヒョロヒョロと植わっていたのが印象的だった。

当時は誰もが食うことで精一杯だった。引揚げてきた海外大学の先生達も、自ら汗して食糧の確保に苦心しておられた。畑に面して教員宿舎が数軒並んでおり、木陰では子供達が無心に遊んでいた。

先着の同期に案内されて小岩井浄先生を訪ねた。宿舎は松林に囲まれた古風な様式の木造建物だった。林間を透して遠く豊橋の町並みが見え、その先には三河の山脈も眺められた。先生は如何にも学者らしく、静かな落ちついた口調で対座された。痩せ細り頬骨が突き出た顔の奥で、ギョロリとした大きな眼が左翼闘争時代の俤をしのばせていた。

当時の学生寮は兵営そのものだった。新入りの私を快く迎えて同室生活をすることになった青年は、山梨県出身の元海兵だった。彼は几帳面でいつも机に向かって何やら書いていた。彼がベッドに寝ころんで休んでいることは一回もなかった。海兵の連中は五、六人きており、町に出る時などいつも仲良くそろって行動していた。ある時喫茶店で一緒になったので、何を勉強しているのかと聞いたら、なんと難解の高等数学を、解答が出るまでに二、三時間計算し、しかも毎日一題やらないと寝つきが悪いとの返事、全く感心してしまった。

私が編入した頃の学生は、学部生の大部分が海外からの引揚げ学生か、陸士、海兵など軍関係の学生だった。いず

れも軍隊生活の経験があり、「敗戦」という異常な試練を経てきており、誰もが確固とした人生観をもっていた。予科の学生達は一部引揚げ学生もいたが、下級生になる程、豊橋、名古屋など地元の学生が多くなっていたようだ。

敗戦によってアメリカのデモクラシーが導入され、社会主義、マルキシズムの文献も自由に読めるようになった。私は河上肇の「経済学大綱」に強い興味を覚えたが、本を買う余裕もなかったのでそれ以上深入りしなかった。法学部の学生はアメリカの民主主義に興味を覚え、経済学部の学生は経済原論を漁り読み、マルキシズムを信奉する学生もあった。又、引揚げ学生の中には戦時中の国粋主義派の右翼もおれば、共産党シンパの左翼論客もおり、夜ともなれば何時もどこかで、大声張り上げて自己の意見を押しつける論争が聞こえたものだ。

愛大の創生期の頃は引揚げ学生が多く、しかも同文書院の学生が基幹となっていたので、寮生活は全く上海時代の延長だった。寮廻りもあれば放歌高吟の蛮声も聞かれた。月が明るい夜など、校庭でたき火を囲んで酒盛りをする連中もいた。そして寮生活を通じて先輩、後輩の人間関係もひきつがれていた。

愛知大学も二年後には建学五十周年を迎えることになるが、この間に築かれた自由自治の学生生活や、国際派的な学風の伝統は大切にしていきたいものである。

戦後の新中国、友好貿易、文革

学校を出る頃になると日本の対外貿易も膨んで、占領軍も少しずつ拘束を外していた。私は三男坊で海外指向も強く就職は貿易会社を選んだ。その中に又大陸に行けるだろうという淡い期待もあったし、学校で中国語をマスターし、大陸で兵隊生活を過ごした私にとって、中国は第二の故郷そのものだった。

待望の中国渡航が実現したのは入社後既に十五年も経っていた。

戦後の新中国との貿易は「友好貿易」の形態で始まった。それも占領軍の厳重な制約の下で、バーター取引だけが許され、韓国、印度などとやっていたエルシー決済は適用されなかった。

当時自由主義陣営と社会主義陣営の政治的対立は経済的にも対立し、中国は自由主義陣営から完全に封鎖され、先端技術、設備の輸出を禁止、制限する「ココム」の他に、中国条項とも言える「チンコム」によって二重、三重に監視されていた。しかし日本との貿易再開はその突破口となった。

戦後再び私が大陸に足を踏み入れたのは、一九六二年春の広東交易会参加だった。当時アメリカが中国の港に入った船舶をリスト・アップして、それらの船の米国寄港を拒

否していたので、船社会は仕事にならぬ中国寄港を敬遠し、中国の海岸線は封鎖状態になっており、中国の玄関は、香港から国境を歩いて渡る深圳だった。そこから粗末な汽車に乗り換えて、広東の羊城賓館に入るまでは全く一日仕事だった。

私は往復八回この道を通った。未知の共産国に入る好奇心と不安で、次第に高まる緊張と興奮、それに引き替え、出国の時の国境の橋を渡りきった時の解放感は最高だった。時には快哉を叫んだのが今も忘れられない。

車窓から眺める大陸風景は、緑したたる平和な農村そのものだったが、壁に大書されたスローガンを読んでいくうちに、次第に緊張を覚えた。

最も驚いたのは、あちこちの村落に見えた電柱、電線である。ああ中国も灯油の時代から電灯の時代に変わったのだ！戦前の農村では上海近郊でも見かけなかった光景である。私は時代の移り変わりを確認した。

その後、人民公社を参観し、農民の勤勉な集団労働を見、農村のリーダーが有能な中年で占められており、この調子では、中国は二十年後には日本に追いつき、追い越すだろうと、言いしれぬ焦燥を覚えた。

春秋二回の広東交易会では、会社が取扱っている色々の商品を勉強し、半分忘れかけていた中国語の習得に励んだ。真綿で首をしめつけられるように、二十四時間監視されて

中国輸出商品交易会　広州市の流花湖畔にある交易会新展示館。（1974年秋季）新華社＝中国通信提供
中国が世界各国の貿易関係者との友好往来と貿易を行う重要な場所である。

いると思うストレスも、難航した談判を成約にこぎつけた時の快感や、時折気のあった連中で町に出かけて卓を囲む広東料理の美味しさに、いつか解消して、商談会場の公司の先生達とも雑談ができるように、自然と環境に慣れていった。

友好商社の条件の一つに「台湾と貿易してないこと」があった。それ故大手商社はダミー会社を介して日中貿易に参加した。これこそ本音と建て前を巧いこと使いわけたもので、西欧の倫理では通用しないことだ。しかし中国にとってはダミーを介して、日本資本主義の牙城たる大手商社に渡りがつき、経済的に政治的に最大のメリットをとることになった。中国には「名正言順」という言葉がある通り、誰一人反対することなく、ダミー会社は日中貿易の担い手として次第に基盤を固めていった。

貿易額が膨らみ信用状決済ができるようになると、プラント輸出が始まった。プラント輸出には操業、運転技術の伝授が不可欠である。日中貿易では平等互恵の建て前からか、技術供与の文言が大国のメンツに障害あるものか、この一方的な技術供与が「技術交流」と表現されている。日本は中国から何一つ技術を輸入しないのに「技術交流」といって恬然としているのはどんなものか？

私もダミー会社のスタッフとなって、春の交易会が終わると北京に駐在した。ちょうど文化大革命の前哨戦の頃で、

「二合而一」とか何とか、さっぱり訳のわからぬ理論闘争が、毎日人民日報の紙上で展開されていた。しかし彼らにとってこの論争は生死に関わる問題で、我々の商談相手の進出口公司の職員も、午後になると毎日学習で、肝心の貿易商談は週二回もあればよい方だった。私は時間を持て余し新僑飯店前の公園にいって、中国人の小学生を相手に中国語の会話練習を重ねる一方、王府井に出ては、新華書店や古本屋街をのぞいて中国史関係の本を買い漁った。

一九六四年の国慶節には、「友好人士」として日本人が九十人以上も、周恩来署名の請帖を受けて人民大会堂の前夜祭に参加した。宴席で周総理は左肘を曲げた独特のポーズで静かに歩みより、一人一人日本人のグラスに合わせて乾杯してくれた。誰もが最高の感激を覚えた。その時の真赤な大版の請帖は今も大切に保存している。

その後北京では学生がかり出され、紅衛兵の赤腕章をつけて「造反有理」を叫びながら、狂ったように既成秩序や伝統文化の一大破壊運動に突入した。この運動は血気に逸る青年学生に歓迎されて「串联《チュワンレン》」の大流行となり、それこそ燎原の火の如く全国の津々浦々に拡がり、所謂「文化大革命」の死ぬか生きるかの大動乱となって、大陸の人々を地獄の坩堝に投げこんだ。

私はこんな暴力と無秩序な中国に見切りをつけて、南洋諸国の華僑の世界へ転向した。

中国にとってこの文化大革命は何だったのか?十年間も続いた大動乱は新中国に徹底的な打撃を与えたようである。物質的には大躍進運動にも劣らぬ資源の大浪費を招来し、社会的には何百年何千年とうけつがれてきた貴重な文化遺産の多くが瓦礫の山と化し、人々は相互不信に陥り、夫婦親子の間にさえ猜疑心が芽生えた。人々は絶望感に襲われ、社会の運営機能は失われた。そこには加害者と被害者の間に和解し難い断絶が残り、度重なる「平反」にも拘らず、被害者の怨念は時代を越えて消えないものがある。

毛沢東が指導して作りあげた「一枚岩の共産社会」は儚く消え去り、孫文が嘆いた「一握りの砂」の群集社会に変質した。私が北京、上海と年代を異にして作った洋服の仕立上りには、この世相が如実に反映されており、服を着る度に当時の中国を思い出して気が重くなる。

東南アジアの華僑社会

東南アジアの華商相手の仕事は新中国とは全く異なっていた。そこには学生時代に本で読んだ「古い中国」が現実に存在し、人々は父祖が生活した大陸を懐いながら古い中国を引きずって暮らしていた。

バンコックの町外れの食堂で昼食に入った時のことである。店から住居に通ずる土間の頭上に、日本の神棚にそっ

くりなものが慥えてあり、関帝の画像が祭られ、蝋燭の火がゆらゆらと灯り、大きな線香がゆっくりと煙をあげていた。その下で店の老婆が土間に座りこんで、三跪九叩頭の礼拝でお祈りをつづけていた。

バンコックの華人社会は歴史的に潮州系華僑が経済を牛耳っており、彼らは強大な金銭の力でタイの軍人・政治家・皇室一族・上級僧侶と密接につながっており、一族の事業及び生命財産の保全を図っている。

ボルネオのクチンには四年間も住んだ。華人社会にとけ込んだせいか、彼らの冠婚葬祭の度に呼び出された。得意先の主人の葬式にも参列した。福建人は立派な墓を好む。中には彫刻した石柱のある玄関をもった石室風の、豪華な墓もあった。

有力者の葬式ともなると全く豪勢なものである。トラックが十数台も繰りだされ、先頭の車には漆塗りの柩を乗せて、その前後を肉親達が揃いの白い麻布の喪服を着て、柩から垂れさがった太い紐をしっかり握って静々とついていく。所々に髪をふり乱した泣き女が大声をあげて、悲しみよ天までとどけとばかり泣いている。どの車にも故人を褒めたたえた文言を大書した幟《のぼり》や、垂れ幕がとりつけられている。勿論車にはびっしりと親戚縁者が乗りこんでおり、血縁の濃淡に従って乗車の順序が自然とできていた。

マレー、インドネシアの華僑社会での生活は、全く快適そのものだった。祖父伝来のお国言葉の他に、マレー語、英語を喋り、子供達は殆どが北京語（彼らは「国語」という）も話すことができた。私が在任した頃は両国とも「ブミプラト優先」政策をとり、華語教育は禁止されており、時折華僑商店の略奪の噂があったが、有力者の子弟は秘密の塾や、家庭教師について北京語を勉強していた。私は取引先の主人との商談には、マレー語、英語、北京語をチャンポンにして使い、たまに通訳に出てくる息子達とは北京語だけで用足りた。私の北京語を聞いて彼らは、親しみをこめて「北方人」といって接近し、当時情報不足だった大陸の文革について何かと聞いてきた。私は北京で見聞きした文革初期の様子をこと細かに話してやった。そして間もなく私は華人社会で、変わった日本人がやって来たと、親愛をもって受入れられ、子供や長老の誕生祝いや、娘・息子の結婚式など、当地の有力者が催す、何か親戚縁者が集まる排場（格好をつけること）にはいつも招待された楽しい思い出がある。

宝鋼建設

前後十年ぐらい日本を出たり入ったりして華僑経済圏をドサ廻りしている中に、大陸ではさすがの大動乱もエネルギーが消耗してしまったのか、四人幇《スウレンパン》の逮捕であっさり終

熄し、新中国の再建が始まり、私の出番がまたやってきた。

一九七九年十一月、私は文革の恐怖を回想しながら上海に飛んだ。人々は貝のように無口になっていた。そこでは新日鉄が日本のトップ企業を組織して、製鉄技術の粋を集めた総合製鉄所——宝山製鉄所建設の為の技術ネゴが始まっていた。

私の会社は分塊工場の建設に必要な通訳役務の提供を分担し、技術説明、据付、試運転の各段階で必要な通訳要員を都度提供した。私は新日鉄の分塊班代表について、契約条件の交渉、据付手順の技術説明に通訳として参加した。それまで出会ったことのない専門用語や、技術用語が出てくるので、夫々の分野の字典を用意して事前準備したが、時折、定年を前に今更使うこともない専門用語を覚えるのに、無駄な苦労をするのが馬鹿馬鹿しく思われたが、後年空調関係の会社の顧問をした時に大いに役立った。

宝鋼の職員は何れも教養豊かな技術者か、北京から出向してきた行政官僚で、仕事上のやりとりでは手ごわい厳しさをもっていたが、時折行われた友好宴席では、詩文の話や、酒にまつわる話など古代の進士出身を思わせる振舞いで、誠に楽しい思い出である。

工場建設の方は二十冶金建設公司が担当した。彼らは河北省邯鄲市に本拠をおく冶金工業部直轄の会社で、技術者の大半が旧満鉄鞍山製鉄所の出身で、日本人の気風を理解

上海の宝山製鉄所の外観（1985年 9 月）新華社＝中国通信提供

し、北方人特有の地道な努力型が多く、日方の据付要員とは同業の誼みもあって、旬日を出ずして「好朋友」になり、夏の盆踊り大会や、仲秋の賞月宴には日方が中方を呼び、春節や国慶節には中方が我々を招待してくれた。二十冶金の大食堂で時折呼ばれた、手造りの餃子パーティは、今でも思い出して、温かい彼らの友情が伝わってくるようだ。

あれこれ七年間も宝鋼建設に携わっているうちに私は定年退職となったが、新日鉄の要求で本件プロジェクト終了まで再雇用となり、その後肺炎を患い、中共党幹部が入院する華東医院に半月も入院したが、一九八六年五月、白雲のように流れる発電所の煙を振り返りながら、宝鋼を後に帰国した。

交通大学で日本語教授

暫くあちこちの会社で定年後の気楽な務めを楽しんでいたが、同窓の紹介で又上海で住むことになった。丁度上海交通大学で日本語教師を探しており、私がボランティアで一年間担当することになり、一九九三年八月に赴任した。

五十年振りに元東亜同文書院大学のあったキャンパスに返り、研一楼四階の専家棟に落ちついた。正門の楼門は朱塗りも鮮やかに一新していたが、正門前を流れていた溝川《どぶ》は埋めたてられて、貧弱なコンクリート石橋だけが往時を偲ぶよすがとして残っていた。全く歌の文句の通り、時は流れて人は去り、院子の植込みも一変して昔の俤はない。ただ「飲水思源」の碑のある学部寮や、階段教室が珍しかった工程館、新上院、体育館、図書館などはまだ昔のまま残っている。

この徐家滙キャンパスには、学生、教職員、人夫などを含めて一万人以上が生活しており、ちょっとした集落社会を形成し、一日中人が動き廻っており、外部からの車、人も勝手に出入りしている。朝の体操、夕方の散歩、夕涼みには学校周囲の隣人が入ってくる。四つの出入口には保安隊員が詰めて、四六時間監視に当たり、宿舎の各楼棟の入口には必ず守衛が頑張っているので、至極安全な筈だが、留学生の自転車が時たま盗難にあっている。

交通大学の学生達は育ちが好いのか素直で明るい青年である。男女関係も開放的で白昼堂々と肩を組んで歩いており、又、激しい競争試験を通りぬけてきた自信というか、物おじすることなく自分の意見を述べる。技術系の学生だけに自分の専攻に誇りをもっていて、如何にも頼もしい青年達である。

私は本科生及び研究生の第二外語として日本語を中国語で教え、他に半年間の進修班を担当し、私の部屋で「日本語サロン」を開いて彼らの知識欲に応えてやった。進修班は日本留学経験のある医師、検事、助教授などの若い人達

で、高い水準の日本語テキストと、日本語による日本社会の現状解説を私に要求した。サロンでは日本で準備した手造りの「日常会話」をテキストにした。
彼らは昔ながらの老師——学徒の関係を意識しており、進修班の修業生達は、彼らのか細い財布の中から銭を出しあって、私のために忘年会を開いたり、春の郊外小旅行に招待してくれた。私は目がしらが熱くなる感動を覚えた。彼らの面子を考えて折半負担を申しいれたが、頑として拒否された。

変わりゆく上海、中国、

私はこの上海で、戦時中の学生生活、敗戦直後の引揚げ待ちの居留民生活、文革後の宝鋼建設の七年間、そしてこの度の開放政策下の上海と時代を異にして住んでみて、易姓革命の国・中国の移り変わりを眺め、しみじみと時の経過に一抹の哀愁を覚えた。

現在の上海には戦前とは又一味異なった活気がある。それは中国共産党も御し得ない上海人のエネルギーによるものだろう。人々はうの目たかの目で銭儲けのチャンスを狙っている。自分の役職をフルに利用して何がしかの便宜利益を沾める「役得」は当然のことになっている。一度手にした利権は絶対手離さない。日常生活の出費は「報銷」によって何とか自分の所属する単位から回収しようとする。全く「国家」様様である。人々の話題には何回も「鈔票《ツオピョ》」という言葉がでてくる。上海人の投機心は今も昔も変わらない。株屋の窓口は終日血走った目付きの人達で混雑している。一攫千金の幸運は果たして何人が手にするのだろうか？今や昔のような勤勉で忍耐強い上海人が出来ており、銭が絡んでくるとそれこそ必死になって働く。宝鋼建設の頃のケ・セ・ラ・セラ的人達は姿を消している。

開発されていく浦東新区には、五十メートル巾のハイ・ウェイが縦横に走り、三十階、四十階の高層建築が競争して建ち上がっている。勿論旧市街地の方も地下鉄建設の掘り起こし現場、環状高速道路の橋脚打ち工事、商店街の高層大型化、高層マンションの林立で面目を一新しつつある。

「破墻開店」という流行語がある如く、ちょっとした空地があって小銭があるものは、レンガ壁を壊して店を張り、雑貨店や飲食店を始めて銭儲けに励む。飲食店は十桌もあれば空調機が取付けられて快適である。もはや昔名物の蝿は見当たらない。弄《ロン》の路地で遊んでいる子供達は小綺麗な着物で人なつっこい。大通りから脇道に入った所に、最近よく見かけるようになった公衆便所は、近代的な水洗式で総タイル貼りで、建物のデザインがユニークであり、十年前の宝鋼建設の頃には全く見かけなかった。又大病院や集

団住民の近くには鮮花屋が繁昌しており、切り花を手にした夫人の姿が時折見られるようになった。街路は文革前のように、朝から夕方まで一日中清掃されている。

毎朝放映される「東方時空」「生活空間」「焦点時刻」などの番組は、庶民の日常生活や、新聞の三面記事をとりあげて、ドキュメンタリに編集しており、それだけに「開放された中国」を生々しく語りかけており、時折映る田舎の小学校の風景に、新しい校舎を背景に広い運動場がみえ、生徒が美しく整列し、不相応に立派な旗竿台が立っている。毎日の朝礼に先だって、国歌斉唱と共にしずしずと昇る国旗に向かって、生徒達があの独特の挙手の礼をもって敬意を拂っている光景は、何か新生中国の前途を誇示しているものが感じられる。

私は人生の斜陽にたって中国及び中国人との出逢いを懐い、時折あまりにも政治的に又打算的に取扱われた「日中友好」に嫌悪を覚える。しかし時代と共に人々の価値観も変わっていくように、実利を尊重する中国人が、何時までも人為的なマルクシズム価値観にしばられているとは思えない。真の日中友好は人間愛でむすばれた隣人同志の友好往来にすぎない。若い人達がこの人間愛をもって友好親善を実践していくことを期待して止まない。

現在の上海交通大学キャンパス／上海交通大学案内より

特別寄稿

上海から豊橋へ「一世紀」の校歴をたどる

朝日新聞名古屋本社社会部
編集委員　毛井正勝

サツマイモ

東亜同文書院大学を取材するきっかけは、愛知大学広報課長、山下輝夫さんの「愛大と豊橋市の縁結び役は、サツマイモだったのですよ」という話だった。

朝日新聞・名古屋発行の紙面では三年前から、「太平洋戦争五十年――戦争と人々」を連載している。東海地方の人たちが戦った地を訪ねる記者もいれば、銃後の生活をたどる者もいる。

私が山下さんの話を耳にしたのは、昨年十一月のシリーズで、日本人がひもじかった時代を振り返った直後だった。一年前の今ごろ、日本は空前の米の凶作におののき、食糧問題がよみがえったかのようでもあった。サツマイモのひ

上海交通大学の構内

とことは聞き流せなかった。今年二月の連載に向け、取材が始まった。

さて、愛大とサツマイモの関係である。東亜同文書院大学最後の学長で、愛知大学の学長を延べ九年半務めた本間喜一さんが、豊橋市役所を訪ねたのは、一九四六年（昭和二十一年）七月一日・故横田忍市長に愛大設立の協力を依頼するためだった。

市長は机の引き出しからサツマイモを二個出し、「これは当地の名産だ。大学ができても、学生の食糧に事欠かない。軍都豊橋も軍がなくなって空白。将来の発展のため、文化施設で補てんしなければならない。極力応援する」と言い切ったという。

「オレは三河人だ。まかせておけ」「もしもという時は市立大学ということもある」という横田語録も残っている。大学誘致に奔走する地方自治体を目の当たりにする時、横田市長の先見性に驚かされる。

この愛大の「前身」である東亜同文書院とは、

上海交通大学の正門

どんな学校だったのだろうか。上海へ飛んだのは、春節を前にした今年の二月初めだった。市の南西部にある上海交通大学のキャンパスは冬休み中で、建設に沸く市街地のけんそうとは、世界を分けるように静まりかえっていた。

一九〇一年（明治三十四年）、貴族院議長近衛篤磨が初代会長を務めた東亜同文会が、上海に開設した日本の専門学校、東亜同文書院は三八年（昭和十三年）から敗戦で閉校する四五年八月まで、ここを臨時校舎にした。

かわらぶきの「赤門」は往時のままである。一歩、校外へ出ると、商店が道路を挟んで並ぶ。ざわめきにまじって、日本人学生の高吟、出陣学徒の靴音が聞こえてくるようだ。

専門学校は三九年四月、大学に昇格した。本間さんが学長を委嘱されたのは四四年二月である。

書院開設の趣旨は「中国を富強ならしめ、中日提携の基礎を固めるため、それに必要な人材を養成する」だった。

当時の高等商業学校、高等学校程度の授業をめざしてスタートした書院の第一期卒業生（一九〇四年）は政治科六人、商務科五十四人。以後、主として、各府県での激しい選抜試験をくぐり、公費で派遣された十八歳前後の青年が、国際都市・上海へ向け、陸続と海を渡った。

しかし、中国の地にあったことが、後の日中間の情勢の変化に連れ、校舎焼失、通訳従軍、学徒出陣、閉校と、青年のあこがれを一身に集めた名門校をほんろうすることに

なる。

愛知大学文学部の藤田佳久教授（地理学）は、書院の卒業生約五千人のうち、現存する千四百五十人を対象に実施したアンケート調査で、質問を次の通り六種類に分けた。
①日中戦争が始まった三七年（昭和十二年）に、通訳として従軍した三十四期生②この期を除く三十九期生まで③四十―四十二期生④学徒出陣した四十三期生⑤四十四、四十五期生⑥入学したが、上海へ渡れなかった最後の四十六期生である。
単なる時代区分でないこの分類方法が、書院生が先の戦争に巻き込まれていった経緯、書院での学生生活が後の人生に与えた多大な影響を我々に伝えてくれる。

大旅行

東亜同文書院・大学の年間最大行事だった中国調査旅行の記録「中国との出合い」第一巻がこの夏、愛知大学から出た。編著者は藤田佳久文学部教授である。

卒業生が大旅行と呼んで懐かしむフィールドワークを、藤田さんは「世界的にみても、これだけの広大な地域を長期間にわたって、系統的に調査した例はない」と評価する。

最盛期には、期間は三ヶ月から半年に及び、専門学校時代は最終学年の三年（のちに四年）、大学昇格後は学部二年の夏休みに、上海を出発した。

書院は、日中間で貿易もままならなかった時代、中国の言葉や経済に通じた人を養成するため、設立された高等専門学校だった。それには中国の商習慣、地理、農村の実態などを知らなければならない。

こんな意気込みで、学生たちは四―六人のグループに分かれ、清末から民国時代の中国各地はもちろん、シベリア、東南アジアにまで足を延ばした。ルートは延べ七百に上る。

大旅行は一九〇八年（明治四十一年）卒の五期生から本

愛知大学図書館所蔵の「中国大旅行調査報告書」稿本

格化する。日本人が初めて、足を踏み入れるコースが多く、各地で通貨が違うため、書院は銀を用意した。なべ、かま持参の野宿、徒歩や馬車での旅だった。

十五、六期くらいから金融、交通・水運、農業といったテーマが決まり、ピークを迎えた二十期代は多くの情報が集まり、アカデミックな色合いを強めた。

愛知大学豊橋図書館には、主として、一九一三年（大正二年）卒業の十期から三三年（昭和八年）卒の二十九期までの学生が残した約四百冊もの大旅行調査報告書の稿本がある。和紙をとじた厚さ五、六㌢の記録は、日記と、卒業論文にもなった調査テーマ部分とに分かれている。

藤田さんは十五年ほども前に、報告書の稿本が持つ価値に注目した。中国という国は、組織が一変しても、農村部の景観や村落はそれほど変わっていない、とみるからだ。それだからこそ、報告書は現在の中国の基盤である農村、地域の定期市場を中心とする小さな経済圏、多様な言語、通貨の違い、土地利用などを知るうえで貴重である。

学生の好奇心があふれ、鋭い観察の成果が詰まる日記から読み込みを進めているが、初期の記録はなかった。このため、関係者に当たり、三人の日記を発掘した。それが「中国との出合い」第一巻に収められている。

その一つは一九〇八年、湖南省の常徳から洛陽、鄭州を経て北京に向かった六期生、石川仁平さんが残した七月六

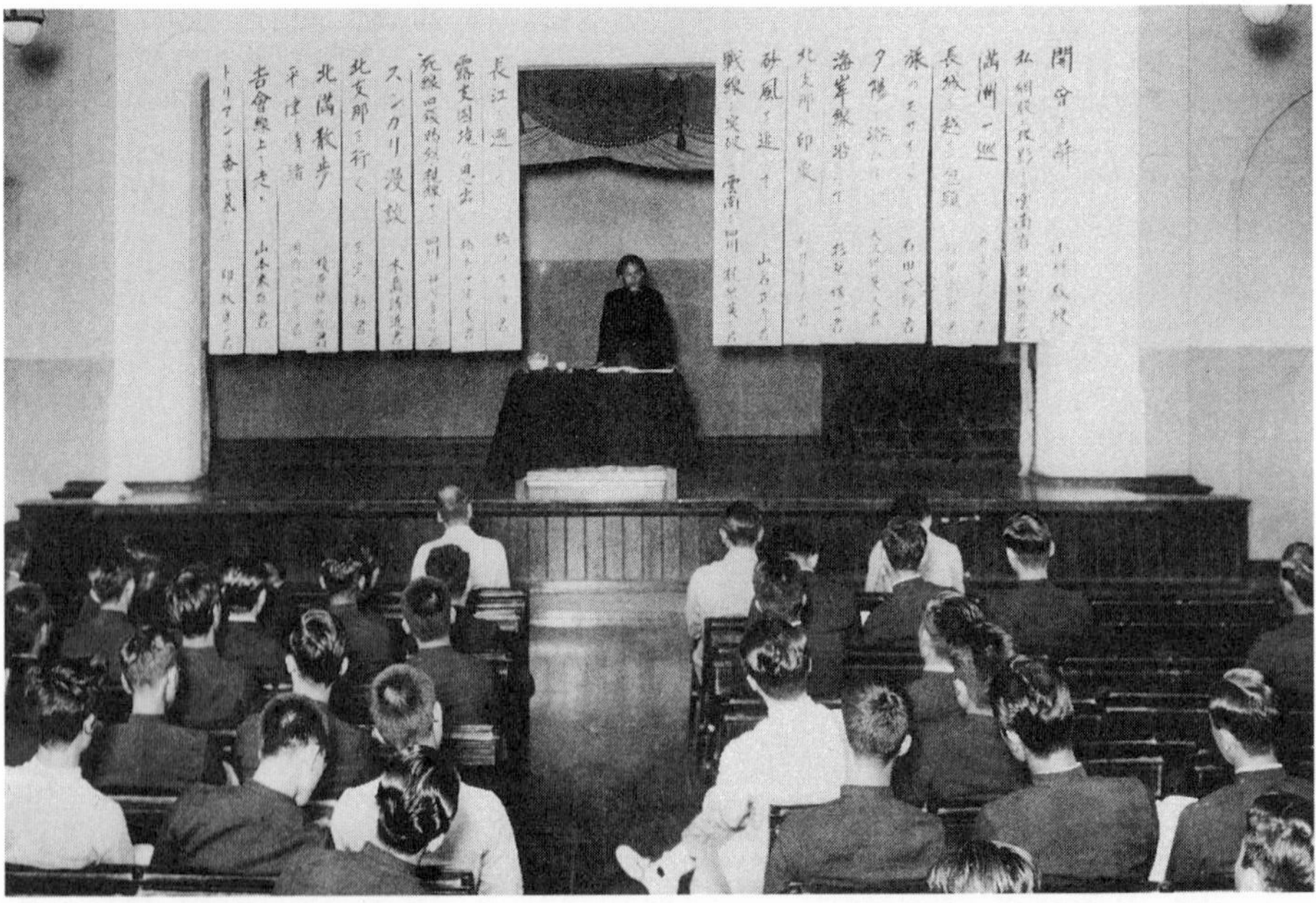

大旅行報告演説会26期（1930年頃）

日から百五十日間にわたる日記。中国主要部の町村や交通、地方行政組織などの情報が満載されている。

八期生の賀来敏夫さん（四十期生・賀来揚子郎さんの父）は、一九一〇年七月一日から百三十八日間の記録をとどめた。ベトナムのハノイから雲南へ入り、成都、重慶、峨眉山を経て上海へ戻る大冒険だった。ノートを埋める日記は、漢文、英文、自作の歌、絵、地図が入り交じり、「解読は最大級に難関であった」という。

第一巻は二百八十四ページ（発売元、東京・神田の大明堂）。今年度中に出る第二巻は五、六百ページの大冊になる。日記部分は計五巻とし、調査テーマ報告に移るが、最終的に何巻になるかまだ分からない。

のちの、国際人を輩出する素地になった大旅行も、日中関係と無縁ではありえなかった。一九三七年（昭和十二年）には、出発して一カ月後の盧溝橋事件で、旅行は中止になり、三九年の大学昇格以後、往時の姿をとどめなくなる。

通訳従軍

今年二月の上海への旅はあわただしい日程だったが、南京へ足をのばしたい、という思いは強かった。上海―南京間は、飛行機で四十五分。帰途、利用した二階建て急行列車は途中、無錫にしかとまらず、約三百キロを四時間で走った。南京市街を取り巻く城壁は壊された所もあるが、中華門は観光客を迎えていた。

一九三七年（昭和十二年）九月三日、書院の大内暢三院長は三四年度入学の三十四期生に「告諭」を発した。日中両軍が激突した盧溝橋事件の約二カ月後である。

内容のあらましは「忠勇義烈の我が将兵とはいえ、現地に入っては言語に通ぜず、地理に暗いため、不便と支障が生じる。ついては、書院生の長所を発揮し、軍事通訳に、後方勤務に出動し、祖国へ応分の奉公をしてほしい」であった。

三二年一月の第一次上海事変の際、上海にいた日本人の非難を振り切って、学生の国内総引き揚げを指示した大内院長の苦汁の決断といわれる。

こうして、第一陣五人、二、三陣各二十人、四陣十九人、五陣十五人、六陣一人と、三十四期生九十二人のうち八十人が、三七年十月下旬から十一月上旬にかけて従軍の途につく。

書院はこの時、盧溝橋事件後、上海にまで及んだ戦火を避け、長崎市の仮校舎に移っていた。

この取材では、従軍した岐阜県羽島市の井上佶さんから色々話を聞き、三十四期生の通訳従軍記「長江の水天をうち」も読ませていただいた。

井上さんが、長崎で出発を命じられたのは十月十五日ご

ろだった。

配属先は第一〇軍一一四師団一二七歩兵旅団。広島港で乗船、上海へ渡った井上さんは、杭州湾から上陸し、南京へ北上する軍を「追及する」ことになる。中国軍を追撃する一一四師団と合流できたのは、太湖の南あたりだった。

通訳従軍の名目は「皇軍の作戦に寄与する」とされたが、現実は現地調達に名を借りた略奪の案内役だった。

戦闘要員でない従軍学徒は、砲弾が飛び交う間、ただ身をひそめる。

井上さんが南京の中華門をくぐったのは、日本軍がここを占領した十二月十三日の朝である。高い城壁の外には、鉄かぶとの後ろから銃撃された中国軍兵士が倒れ、内側には土のうがびっしり積まれていた。

先日、岐阜市の三十五期生、小泉清一さんからたよりをいただいた。中に、この夏、他界された大阪府在住の同期生が、小泉さんあてに書いた一文が同封されていた。「三十四期生通訳従軍を考える」と題されている。

故人は、「長江の水天をうち」を通読すると、「(従軍)するべきでなかった」とする人が目につくと書き、「小生も、するべきでなかった、と考える」と断じていた。さらに、「南京三十万人虐殺説」の真偽にも触れている。

「通訳従軍者の多くが南京に入城したはずである。とこ

中華門から南京市街を見る

南京中華門

ろが、三十万虐殺説を肯定するような筆致はほとんどない」

このあと、井上さんの大略、次のような文を記し、「彼の結論は、小生の結論でもある」と結んでいた。

「私は三十万という数字が歴史上の定説となってしまうのを懸念する。しかし、三十万という数字にこだわって、暴挙がなかったと強弁するつもりはないし、中国の人々には三十万でも、三万でも三千でも、たまらない気持ちに変わりはないであろう」

井上さんは、南京へ行く気持ちにはなれない、と話していた。

井上さんが長崎へ戻ったのは三八年二月二十八日。卒業式は三月六日に行われたが、この時、まだ戦地にとどまる人がいた。

本間学長

愛知大学は、戦後の混乱期に設立された数少ない旧制大学である。

東亜同文書院大学の最後の学長である本間喜一さんが学生、教職員とともに、上海から帰国したのは一九四六年（昭和二十一年）三月一日だった。

敗戦で閉鎖に追い込まれた海外の大学は、書院だけではなかった。国内の学校への学生の編入はままならない。本

問さんが大学設立を決意したのはいつごろなのか。

　書院時代から半世紀、本間さんと接した岐阜市の木田彌三旺さんは「四六年の四月か五月」という。建物探しが難問だったが、進駐軍が使っていた豊橋市の陸軍予備士官学校跡が空く、という情報が飛び込んだ。

　当時の豊橋市長、横田忍さんが「オレは三河人だ」と、胸をたたいた話は先に書いた。これに感銘した本間さんは、一九七三年の「愛知大学通信」で、最高裁初代長官を務めた三淵忠彦さんから聞いた地理学者、志賀重昂にまつわるエピソードを紹介している。

　学生から愛知県人会への出席を依頼された志賀は「愛知県人ではない」と答え、「先生は岡崎生まれでしょう」と反問した学生を「オレは三河人だ」といっかつしたという。

本間喜一さん　1986年夏、東京の自宅／朝日新聞提供

　山形県生まれの本間さんは（私も山形人といわれるのと米沢人といわれるのとでは「感じ」が違う。一種の封建感覚か）と、照れた調子で注釈をつけているが、信義に厚い三河人との印象を強くしたのではないか。

　以後、八月一日・文部省へ大学設立認可申請書提出、十一月十五日・認可、四七年一月・予科、四月・法経学部の開講と、現在では信じられないスピードで、ことは運ぶ。学生は四百四人。書院関係者は百五十七人で、そのほかの学生も海外から引き揚げた人が大半を占めた。

　愛大が連合国軍総司令部（ＧＨＱ）の監視を受けていたことはよく知られている。米国が公開した占領資料で、ＧＨＱに教育民主化を進めるための勧告、助言をした民間情報教育局（ＣＩＥ）が、設立認可申請が出た二週間後の八月十五日に、早くも文部省と協議していることが最近、明らかになった。（「愛知大学史紀要第1号」）。

　その理由が、書院との関係であったことはいうまでもない。あのアカデミックな大旅行がスパイ活動とされ、通訳従軍は軍への協力と糾弾された。本間さんはＧＨＱの調査は、書院が国策の一端に参画したかのごとく推測し、愛大は書院の復活でないかをみるのが要点のようだった、と回顧している。

　だが、国内の空気は、書院の復活とはとらえず、引き揚げた学生、教職員の大学設立への願望に同情し、援助を惜

しまなかった、とみていた。「もし引き揚げ者に対する世間の同情がなければ、我々がどれほど奔走しても、この時期に、愛大創立はできなかっただろう」という。

とはいえ、本間さんの胸の内に、書院を復活させようという意図があったことは事実で、創立時の書院の教育精神に共鳴していたことも疑いようがない、と思う。

第二代学長として一九五〇年六月から約五年半、第四代学長が五十九年から四年間。「愛大事件」、北アルプス薬師岳での山岳部遭難と、「受難」が続いた。六三年一月二十九日の朝日新聞夕刊は、遭難で辞表を出した本間学長との会見を伝えている。中でも「辞意を固めたのは太郎小屋にパーティー全員がいなかったと聞いた時です」と語っているのに胸を打たれる。

本間さんの人柄に触れるため、幾度もお話を聞いた木田さんの「終生、人を大切にされた先生は、人生の達人でしたよ」という言葉も忘れ難い。

愛大は九六年秋、創立五十周年を迎える。書院ができたのは一九〇一年。その間の断絶期も歴史のひとことまととらえ、一世紀近くにわたる継続に目を向けていきたい、と思う。

（掲載写真は筆者の撮影による）

おことわり

（本稿は一九九四年二月、朝日新聞（名古屋）で連載した「戦争と人々28部」の一部に加筆したものです）

自由・受難の鐘（愛知大学豊橋校舎）

年	次	東アジア・日中関係	東亜同文書院の展開	中国調査旅行、学科・制度	刊行物
18	7		中華学生部装置設定、		「支那省別全誌」全18巻
19	8	五・四、反日運動	支那研究部（研究所） この年、調査旅行延期 「支那研究」創刊		
1920	9				
21	10		中華学生35名入学	専門学校令による指定学校（外務省管轄）	
22	11		この年、東亜同文会の財団法人化（教育文化事業）		
23	12		（徐家滙虹橋路《ホンジャオロ》校舎）		アカデミズムへの指向。 調査旅行の「円熟期」
24	13				
25	14				この頃、馬場鍬太郎による中国経済・地理の大著が続々と刊行。
26	15昭1				
	2		根津死去　胡適講義		
28	3				
29	4			修業年限は4年間	「支那研究」68号刊
1930	5		全学スト、反戦ビラ		
31	6	満州事変	魯迅講演　中華学生日本旅行		
32	7	第1次上海事変	（一時、長崎引揚）		
33	8		中華学生の日本見学旅行		調査旅行の「制約期」
34	9				
35	10		靖亜神社完成		
36	11				
37	12	7月盧溝橋事件 第2次上海事変	10月長崎仮校舎、9月通訳従軍、11月焼失（虹橋路）		
38	13				
39	14	ノモンハン事件	徐家滙海格路《ハイコーロ》（上海交通大学校舎）	12月　東亜同文書院大学大学令による （学部3年　予科2年）	「現代支那講座」6巻
1940	15				
41	16			学部	「新修省別全誌」9巻で中断。
42	17				
43	18		12月書院の学徒出陣		
44	19		本間喜一学長となる。		
45	20		呉羽分校開設と閉鎖		
46	21		11．愛知大学設立認可、東亜同文会解散		
47	22				
48	23		霞山会設置		
49	24				
1950	25		12．財団法人東亜同文会清算		

東亜同文書院の展開プロセス一覧

愛知大学藤田佳久教授作成

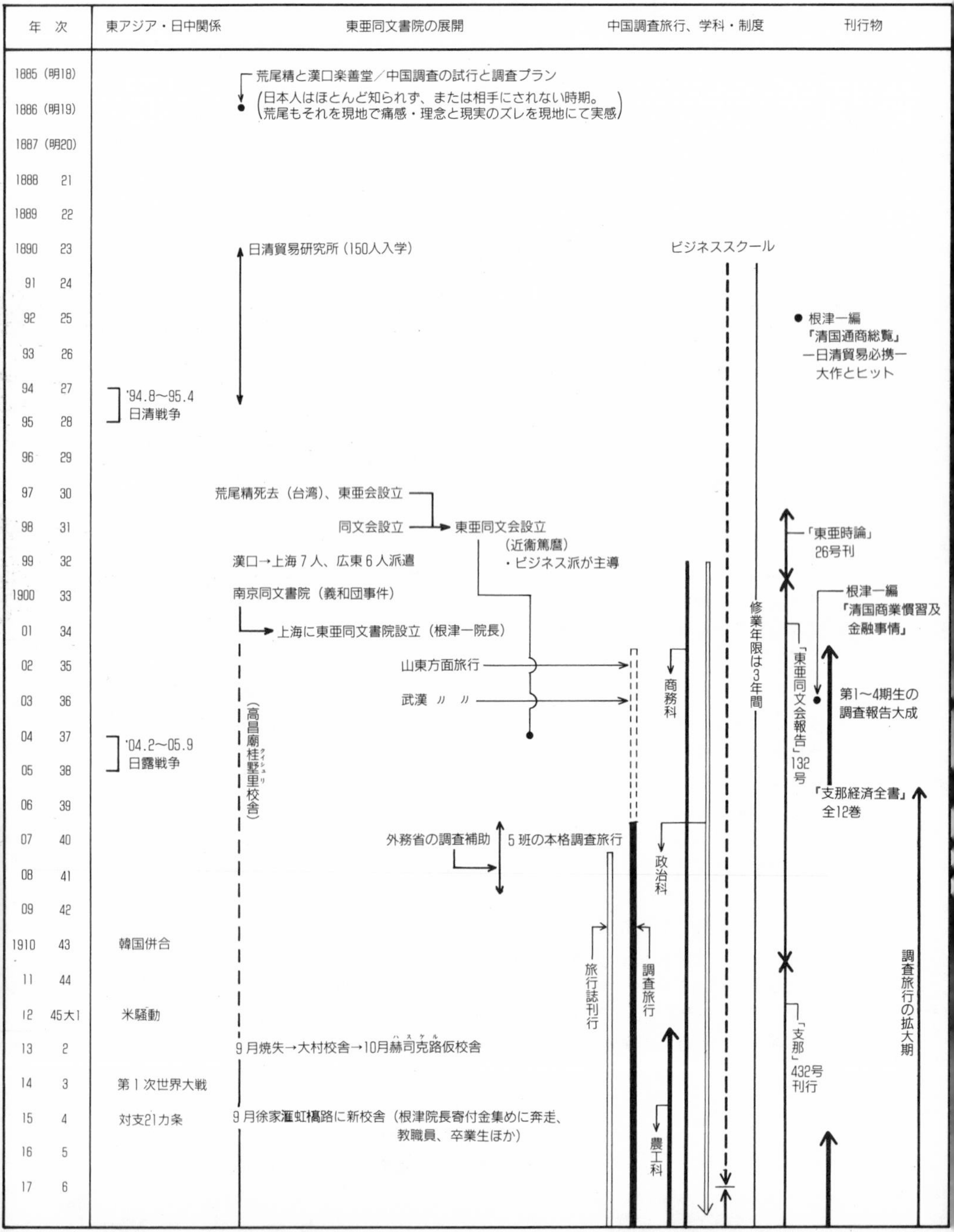

愛知大学東亜同文書院大学記念センター設立趣意書

東亜同文書院は1901年中国・上海に設立され、1945年敗戦による廃校までに約半世紀近い歴史をもつ。戦前海外に設けられた日本の高等教育機関としては最も古い歴史を有する。この経営母体は1898年設立された東亜同文会であり、当初近衛篤麿（当時貴族院議長）を会長とし、文化教育を通して日本、中国、朝鮮三国と提携し、アジアの平和を図ろうとした。その活動は、のちには、東亜同文書院（1939年大学となる）等の経営を中心とする教育研究によって代表されるようになった。

敗戦により東亜同文書院大学は廃校となり、東亜同文会も解散した。同校最後の学長であった本間喜一ら東亜同文書院大学の教職員が中心となり、同文書院大学はじめ海外にあった大学から引揚げた学生達のために創設されたのが愛知大学である。初代学長は林毅陸（東亜同文会理事、枢密顧問官、前慶応義塾総長）、理事は本間喜一（東亜同文書院大学学長、本学２代、４代学長）、小岩井浄（東亜同文書院大学教授、本学３代学長）らであり、創立時の教職員、学生は大半が東亜同文書院大学関係者で占められていた。愛知大学設立の基礎となった「霞山文庫」、日中文化交流の架け橋ともいうべき「中日大辞典」、両校関係者の努力の結果現存している「同文書院学籍簿」などは、東亜同文書院大学と愛知大学との関係を如実に示すものである。

愛知大学は、東亜同文書院大学とは別の法人であるが、同時に「同文書院を背景に持っていたからこそこれだけの愛知大学ができた」（創立者本間喜一の談話）のである。その故にこそ、「同文書院の出身者にとっては、愛知大学はいわば母校的な存在であり、書院生の同窓会である社団法人「滬友会」とは親密なる関係になる」（滬友会刊『東亜同文書院大学史』より）のであり、また愛知大学にとっても、東亜同文書院大学は生みの親ともいうべき存在といえる。現在、東亜同文会を継承する霞山会とは、理事の相互就任をはじめ密接な関係があり、また1991年東亜同文書院記念基金会から寄託を受け、昨年は孫文・辛亥革命と深い係わりをもつ山田良政・純三郎（ともに同文書院教員）関係資料の受け入れが実現するなど滬友会とも親密な関係がある。

愛知大学東亜同文書院大学記念センターの設立は、東亜同文書院大学の教育研究上の業績をあきらかにするとともに、「世界文化と平和に寄与すべき新日本の建設に適する国際的教養と視野をもつ人材」（愛知大学設立趣意書より）の育成をめざす本学の今後の発展に寄与しようとするものである。

1993年５月30日

愛知大学東亜同文書院大学記念センター